D0620531

**Catalogage avant publication de Bibliothèque et Archives nationales du Québec et Bibliothèque et Archives Canada**

Marcotte, Julie, 1980 avril 28-

Trentenaire sans histoire : tranches de vie

ISBN 978-2-89662-325-9

1. Marcotte, Julie, 1980 avril 28- - Blogues. I. Titre.

PS8626.A737T73 2014 C848'.603 C2014-940396-8

PS9626.A737T73 2014

**Édition**
Les Éditions de Mortagne
C.P. 116
Boucherville (Québec) J4B 5E6
Tél. : 450 641-2387
Téléc. : 450 655-6092
Courriel : info@editionsdemortagne.com

**Illustrations en couverture et intérieures**
© 123RF – Pavlo Kovernik, Alona Pishchulova

**Dépôt légal**
Bibliothèque et Archives Canada
Bibliothèque et Archives nationales du Québec
Bibliothèque Nationale de France
2e trimestre 2014

ISBN 978-2-89662-325-9
ISBN (epdf) 978-2-89662-326-6
ISBN (epub) 978-2-89662-327-3
1 2 3 4 5 – 14 – 18 17 16 15 14
Imprimé au Canada

Nous reconnaissons l'aide financière du gouvernement du Canada par l'entremise du Fonds du livre du Canada (FLC) et celle du gouvernement du Québec par l'entremise de la Société de développement des entreprises culturelles (SODEC) pour nos activités d'édition. Gouvernement du Québec – Programme de crédit d'impôt pour l'édition de livres – Gestion SODEC.

Membre de l'Association nationale des éditeurs de livres (ANEL)

JULIE MARCOTTE
TRENTENAIRE SANS HISTOIRE
Tranches de vie
ÉDITIONS DE MORTAGNE

À tous ceux qui ont pris la peine
de me dire un jour ou l'autre:
« Tu devrais écrire quelque chose. »

# Sommaire

# Le pourquoi du comment

La première fois qu'on m'a dit «tu devrais écrire quelque chose», j'avais quatorze ans, les cheveux atrocement frisés et une imagination débordante. À l'époque, mon amie Taïka et moi avions un passe-temps plutôt marginal: nous aimions écrire. N'importe quoi; des nouvelles, des poèmes... souvent des trucs péniblement romantiques. À l'école, aucun de nos camarades «acnéens» ne s'intéressait à la littérature et encore moins à la poésie. Adolescentes constamment partagées entre le monde réel et les différents univers que nous inventions, nous avions l'impression de posséder un trésor que les autres n'avaient pas su saisir. Nous savions dompter les mots.

Ma mère, fière de son excentrique gamine, me demanda un jour de lire quelques-unes de mes âneries à ma tante. Celle-ci cria au génie et s'exclama:

– Tu devrais écrire quelque chose!

Cette tante fréquentait des cercles de lecture et assistait à des soirées de poésie. Elle était à mes yeux la critique littéraire la plus crédible du monde, et je me dis qu'elle avait sûrement raison. Après tout, elle devait savoir de quoi elle parlait!

Depuis ce jour-là, on m'a fait cette remarque d'innombrables fois.

«Où est donc le problème? me direz-vous. Tu n'avais qu'à te lancer et écrire!»

J'ai effectivement un problème. Je vous le confie en toute humilité: IL NE M'EST JAMAIS RIEN ARRIVÉ. Rien de spécial, rien d'incroyable.

J'ai trente ans. Je n'ai jamais été battue ni séquestrée, je n'ai jamais erré seule dans les rues de Durban. Aucun de mes enfants n'a été enlevé par des extraterrestres (du moins, ils ne m'en ont pas parlé). Je ne me suis pas fait couper un membre par un voisin sanguinaire prénommé Dexter. Je ne travaille pas à la télévision. Je ne suis pas non plus une ex-mannequin qui, en voulant relancer sa carrière, a vécu un cauchemar sous le bistouri d'un chirurgien esthétique incompétent. Je ne suis pas Octomom. Je n'ai jamais rencontré Brad Pitt. Je n'ai pas été séparée d'une sœur siamoise à la naissance, ni même été rejetée par mes parents étant enfant. Je n'ai jamais fait une seule recette de Julia Child. Mon mari n'est pas un taliban (malgré son nez de type arabe, qu'il déteste). Je ne suis pas remarquable, ni répugnante. Je n'ai même jamais souffert d'hémorroïdes...

Alors quand on me dit :

– Tu devrais écrire quelque chose.

Je réponds :

– OUI, MAIS QUOI ?!

Je dois admettre que j'adore mettre des mots sur la vie, aussi banale soit-elle. La trentaine apporte bien sûr quelques rides et des cheveux blancs, mais parfois aussi juste l'audace qu'il faut pour se lancer à la poursuite de nos rêves. Ce livre sera donc rempli de tous ces petits riens qui prennent de l'importance quand votre vie est calme et sans tempête, du quotidien, des bonheurs dans leur plus grande simplicité et de ces évidences qu'on ne dit pas. Je trouverai même l'humilité nécessaire pour vous raconter mes nombreuses maladresses et mes quelques faiblesses. Après tout, rien n'est plus ennuyant que la perfection, non?

N. B. J'aimerais préciser que mon cher mari, préférant garder l'anonymat, a lui-même suggéré que je lui donne le pseudonyme de «bel Adonis» dans mes écrits. Comme je tiens à la bonne santé de mon couple, je me conformerai à sa requête.

# Overdose d'innocence

Ils ont l'innocence des enfants
Mais des rêves de vieillards
L'esprit déroutant
Mais l'espérance au placard

Après plusieurs observations et réflexions concernant les gens qui m'entourent, je suis récemment arrivée à une conclusion assez simple au sujet des trentenaires sans histoire : ils ont presque tous été, dès leur plus jeune âge, des enfants sans histoire. J'entends par là des enfants qu'on a laissés se gaver d'innocence, des gamins qui ont eu droit à une insouciance sans casse-tête, sans faille.

Je suis de ceux-là. Peut-être même me suis-je mérité une légère surdose d'innocence. J'étais de ces « petites âmes roses » dont parle si bien Lynda Lemay dans sa chanson[1]. Celles

1. Lynda LEMAY, *Les petites âmes roses*, Album : *Ma signature*, Warner Music Canada Co., 2006.

qui ne soupçonnent ni le mal ni la douleur. J'ai longtemps cru que tout le monde avait une maman gentille et douce pour nettoyer ses bobos, ainsi qu'un papa rigolo dont la voix grave calmait toutes les angoisses. J'ai longtemps pensé qu'être malade voulait dire croquer dans des Tylénol au raisin (dont je raffole toujours aujourd'hui et que je consomme parfois en cachette), sans soupçonner que d'autres enfants de mon âge souffraient de cancer, de fibrose kystique ou de sclérose en plaques. J'ai longtemps ignoré qu'il pouvait arriver que des parents se séparent, se chicanent ou, pire, meurent.

Mes parents, eux, se bécotaient tout le temps. À son retour du travail, mon père avait immanquablement droit au «*french* du vainqueur». Je ne supportais pas ce spectacle gênant! Surtout quand mes amies venaient à la maison. Dans ma toute belle innocence, je n'avais pas saisi que, pour certaines d'entre elles, mes parents étaient l'image même du bonheur familial qui leur avait glissé entre les doigts.

Comme plusieurs jeunes de ma génération, j'ai pleinement profité du contexte «plus détendu» dans lequel nos parents nous ont éduqués. À l'époque, on avait le droit de manger des bonbons ronds, de faire du vélo le soir jusqu'à pas d'heure, d'aller au dépanneur en traversant la petite rivière à pied ou d'aller cogner à la porte de la maison de notre choix pour savoir si un enfant y habitait et s'il désirait être notre ami. On ne nous parlait pas sans arrêt des quatre groupes alimentaires ou de notre courbe de croissance. Les vitamines Pierrafeu étaient LA solution. On se souciait peu de nos ongles noirs de terre ou de nos cheveux en broussaille après un tour sur la moto de Jean-Paul, l'oncle de l'ami du voisin.

Je suis souvent nostalgique quand je pense à cette belle époque et à la richesse des moments qu'elle nous a permis de vivre. J'adorais aller dans le champ pour attraper des dizaines de sauterelles, les mettre dans un sac et les écouter « faire le popcorn ». Arracher les fleurs des plates-bandes des voisines pour les offrir, candidement, à ma mère scandalisée. Entrer par effraction au zoo de Québec et atterrir parmi les poules et les paons pétrifiés.

Aujourd'hui, je m'imagine mal laisser ma fille ou mon garçon faire de la bicyclette seul plus loin que le coin de la rue. Ils n'iront pas au parc sans un adulte, ni même au dépanneur, avant d'avoir atteint l'âge de... vingt et un ans?! Si ce n'est pas moi qui m'inquiète pour leur courbe de croissance ou l'éventualité d'une effroyable carie, l'infirmière et le médecin se feront un plaisir de le faire pour moi. Je suis même confrontée à un dilemme quand ma fille de six ans me demande si elle peut aller jouer devant la maison. Je sais pourtant qu'elle n'ira pas dans la rue. Mais je sens tous ces regards accusateurs qui me scrutent, disant :

– Vous n'avez pas honte de laisser votre fille ainsi, à la merci des kidnappeurs et des agresseurs d'enfant ? Avez-vous déjà oublié la petite Cédrika[2] ?

Je me retrouve donc assise sur le gazon, à expliquer à ma fille combien la rue, le terrain et le monde sont pleins de dangers. Quelle place reste-t-il pour l'innocence, je vous le demande ?

J'ai parfois l'impression d'être d'une autre époque tant je ne ressemble pas à la maman contemporaine. Je fais vraiment partie de ces « mères indignes »… Durant mes congés de maternité, j'ai côtoyé plusieurs charmantes mamans qui m'ont permis de sortir de l'isolement qui accompagne souvent la naissance d'un enfant. Elles étaient bien gentilles, mais certaines ont inconsciemment engendré chez moi

2. Cédrika Provencher a été enlevée le 31 juillet 2007 à Trois-Rivières, à l'âge de neuf ans.

des complexes de taille et m'ont amenée à douter de mes compétences parentales. Faire des purées pour son bébé ne suffisait plus à rendre une maman fière, il fallait maintenant qu'elles soient entièrement biologiques. Lui donner un bain tous les deux jours était très peu recommandable et utiliser un savon de marque générique (ou, pire, des bulles!) l'était encore moins. Si le guide d'introduction des aliments disait que la carotte devait précéder le navet, il aurait été scandaleux d'envisager de donner du navet à un petit qui n'aurait pas encore connu l'indispensable expérience gustative et digestive de la carotte!

Si ces mamans contemporaines avaient su que je ne refermais pas toujours la barrière des escaliers derrière moi, que je laissais parfois ma fille de deux ans dans son bain pour aller chercher ma revue à potins préférée, que je ne nettoyais plus les suces qui tombaient par terre quand mes enfants atteignaient l'âge d'un an et que je ne leur brossais les dents qu'une fois par jour, elles m'auraient sans doute reniée! Même si j'aimais leur compagnie, je me suis souvent demandé ce qui clochait chez moi. Pourquoi la panique générale ne m'avait-elle pas atteinte... ni même frôlée? Je n'ai pas suivi la vague, j'étais clairement déconnectée. Mes enfants étaient tout pour moi, mais mon amour pour eux ne se traduisait pas de cette façon. Peut-être parce que, nostalgique comme je suis, j'aurais voulu qu'ils aient une enfance semblable à la mienne.

Quoi qu'il en soit, lorsque j'amène mes enfants au chalet de ma famille, là où je me suis moi-même écorché coudes et genoux des dizaines de fois, c'est pour leur offrir cette possibilité d'aller librement, d'explorer, de découvrir la nature dans le rire, mais aussi parfois au prix de quelques douleurs inévitables. Le chalet étant situé sur une île rocailleuse de quelques centaines de mètres carrés, un parent normal y tiendrait son enfant en laisse! Il ne l'autoriserait certainement pas à attraper un canard, à traverser le lac assis sur sa ceinture de sécurité, à attraper des libellules pour en faire des appâts ou à faire le concours du plus beau feu. C'est pourtant ce que je faisais, avec mes cousins et cousines, étant enfant.

Un jour, ma cousine et moi avons attrapé une grenouille minuscule. En tentant de s'échapper de nos mains, elle est tombée sur les rochers. Elle a été tuée sur le coup. Nous étions sidérées! C'était notre premier contact avec la mort. Désemparées, nous avons passé la journée à lui préparer des funérailles dignes de ce nom. Nous avons trouvé un beau plat de plastique dans lequel nous avons versé du liquide bleu à toilette (pour éviter les odeurs). Nous y avons déposé la grenouille avec un petit message d'amour, inscrit sur un morceau d'écorce, et l'avons enterrée. Nous avons même réquisitionné les services de mon cousin pour «gosser» une petite croix de bois pour la tombe, que nous avons entourée des plus belles fleurs trouvées sur notre île et les îles voisines. Voilà comment nous occupions une journée, quand l'innocence était maître! Nous ne nous sommes pas lavé les mains après avoir mis la dépouille dans son cercueil de fortune. Nous avions huit et neuf ans et nous avions droit à l'enfance. Et il me semble que ça devrait être ainsi encore aujourd'hui.

J'ai beaucoup de souvenirs heureux avec mes grands-parents, dans leur maison aux traditionnels planchers craquants. Mes grands-parents maternels étaient le couple classique de la campagne, accueillant tous ceux qui passaient par là avec des tourtières et des bonbons à profusion. Ma grand-mère nous gavait sans arrêt durant nos séjours chez elle. Et comme si cela ne suffisait pas, elle nous donnait même parfois des sous pour aller au dépanneur, question d'ajouter une dose de sucre aux pâtés, aux bonbons durs, aux caramels et aux toasts dans la poêle (le grand classique de la maison, avec plus de beurre que de pain) qu'elle nous concoctait.

Mon grand-père, peu bavard, se berçait, indifférent au brouhaha des enfants. Il était le spectateur calme qui nous lançait à l'occasion un petit sourire complice. Le summum du bonheur, c'était lorsque nous décidions de passer la nuit chez eux. S'entamait alors la course jusqu'à l'étage pour choisir LA chambre où nous allions dormir. Il y en avait trois de libres, pittoresques, avec des commodes pleines de bijoux et de vieilles photos, où j'adorais fouiller en cachette. Une des chambres de l'étage était occupée par mon oncle Amable qui, jusqu'à son décès, distribuait des billets de cinq, dix ou vingt dollars à tous les enfants qui lui rendaient visite dans sa chambre. D'un point de vue actuel d'adulte, ça peut sembler louche, comme comportement... Mais je n'ai aucun souvenir d'avoir ressenti un malaise en sa présence. Je crois qu'il appréciait simplement que nous prenions la peine de monter le voir et qu'il n'avait plus grand-chose à faire de son argent.

Chez mes grands-parents paternels, l'ambiance était complètement différente. Mon grand-père est décédé très jeune d'un cancer et ma grand-mère était une femme qui prenait plaisir à lire et à enrichir sa culture personnelle de diverses manières. Lorsque nous avions un problème avec nos devoirs, il était parfois plus rapide et plus efficace de l'appeler plutôt que de sortir l'encyclopédie. À mes yeux d'enfant, sa maison était un vrai paradis, où chacune des chambres avait sa propre couleur (la bleue, la jaune et la rose, ma préférée), avec ses grandes cloches à gâteaux argentées et sa merveilleuse cachette à biscuits Goglu... Mon père ayant grandi dans cette maison, nous aimions l'idée de dormir dans sa chambre d'enfant. Le matin, nous étions réveillés par les sons provenant de la cuisine où ma grand-mère s'affairait à presser des oranges fraîches pour faire son jus maison plein de bonnes vitamines.

On ne sait pas, quand on est jeune, à quel point on a peu de temps pour profiter de la présence de nos grands-parents. On les croit immortels. À ce jour, ma grand-mère paternelle et mon grand-père maternel sont décédés. Ma grand-mère toujours en vie nous a aussi été enlevée, d'une certaine façon... un souvenir à la fois. Elle avait toujours eu tendance à se répéter, aussi nous a-t-il fallu un bon moment avant de réaliser qu'elle souffrait d'Alzheimer. La première fois qu'elle a demandé qui j'étais, ça m'a drôlement secouée. C'était Pâques, et toute la famille se réunissait chez mon oncle. Lorsque ma grand-mère est arrivée, elle s'est assise dans un fauteuil en face de moi. Elle s'est alors mise à froncer les sourcils en me dévisageant, puis elle a questionné ma tante sur mon identité. On lui a répondu que j'étais « la fille de Céline ». J'avais envie de hurler. J'aurais voulu lui dire :

– Grand-maman, c'est moi! Je ne suis pas « la fille de ». Je suis Julie, *fan* finie de tes toasts dans la poêle! Julie, qui adore la campagne et tes planchers qui craquent. Julie, ta petite-fille frisée...

Je n'étais pas que triste, je ressentais aussi de la colère. J'avais l'impression qu'elle venait de renier tout ce qui nous unissait. C'était plus fort que moi, je lui en voulais un peu.

L'Alzheimer est une maladie très dure, sans pitié pour les souvenirs sacrés ou les liens familiaux. J'ai toute l'admiration du monde pour ses enfants qui, encore à ce jour, lui rendent visite chaque semaine. Elle les appelle Laurette, Nicole ou Fernand alors qu'elle a jadis choisi pour eux des prénoms qui sont tout autres et qui lui échappent maintenant.

Quant à moi, je ne suis pas allée la voir souvent depuis sa maladie. Je n'en suis pas tellement fière. Je n'ai plus l'impression de la connaître vraiment... Ma mère m'a raconté que lorsqu'elle a été transférée dans un CHSLD à Québec, elle a perdu tous ses repères. Une nuit, les infirmières l'ont trouvée dans un corridor, flambant nue et poussant sa voisine de chambre dans un fauteuil roulant. Interrogée sur ses intentions, elle a répondu le plus sérieusement du monde qu'elle amenait son amie aux framboises. Je n'ai pas pu m'empêcher de sourire. Elle nous amenait souvent en cueillir! Elle avait perdu l'essentiel de sa mémoire, mais elle se rappelait vaguement les framboises...

Presque tous les souvenirs que j'ai de mon enfance sont heureux. Bon... il y a bien eu quelques peines, plusieurs disputes fraternelles et une certaine colère devant les «complots» de mes parents qui étaient toujours d'accord pour me refuser une permission... Si papa disait non, pas moyen d'aller négocier avec maman, ils s'étaient immanquablement consultés. Et aujourd'hui, je lutte moi-même afin de tout mettre en œuvre pour acquérir une telle cohésion avec mon bel Adonis. Je constate aujourd'hui les efforts que mes parents ont mis à construire cet univers sécuritaire et réconfortant qu'était notre nid familial. Même les tumultes de l'adolescence, période trouble durant laquelle se forge le caractère, n'ont pas pu effacer les traces de cette belle forteresse. Pleine de simplicité, d'amour et d'éternité. Pleine d'innocence, aussi, mais une innocence nécessaire au bonheur. Je n'ai certainement pas été l'adolescente la plus populaire, ni la jeune la plus branchée, ni la cégépienne au vécu croustillant, mais j'ai eu droit au bonheur légitime d'une enfance sans tracas.

Forcément, me voilà donc trentenaire sans histoire. Soumise aux aléas de la vie, mais sachant garder l'équilibre grâce aux souvenirs d'une enfance douce et sans préoccupations. Il est plus facile de faire les bons choix quand toute notre enfance a baigné dans le bonheur. Il est plus aisé d'écarter de notre vie les gens dangereux quand on n'a ni manque ni carence. Il est plus simple, aussi, de faire confiance, de pardonner, d'espérer. Alors je dois dire merci à mon père, à ma mère, à ce que nous avons été. Je n'aspire pas à ce statut prestigieux de maman contemporaine. Dans la mesure où le monde dans lequel nous vivons nous le permettra, je tâcherai d'éviter à mes enfants les inutiles tourments de l'existence. Quitte à ce qu'ils ne soient pas toujours propres et parfaits. Tout en moi aspire à cette innocence et ce sera, je l'espère, mon plus grand héritage.

# Mon bel Adonis

Et puis toi tu surgis
Comme un ciel dans ma vie
Comme un brin de magie
Tu m'enfuis

Je crois à l'amour. Je n'ai pas le choix, je suis mariée avec un homme que j'ai désiré en secret pendant plus de cinq ans...

Quand on naît, l'amour n'est rien de précis. Il est une odeur, un parfum. La chaleur du lait, la douceur des bras qui nous tiennent. Il est au fond des yeux de celui qui nous contemple, dans le son de la voix de celle qui chante pour nous, nuit et jour. À mon sens, il est à son état le plus pur.

Durant l'enfance, il est à l'image de ce qui nous est présenté dans les films de Walt Disney, que l'on consomme sans modération. Il est empreint de beauté, de bonheur éternel, de grande destinée. On envisage le baiser comme geste suprême de l'amour. Selon, bien sûr, le portrait que nos parents nous en ont dépeint, on peut entrevoir la possibilité d'un conte merveilleux.

J'ai connu mon amoureux à cette belle époque de l'enfance. Nous étions camarades de classe. Il avait de grosses lunettes, et moi, d'énormes cheveux. Nous étions bien assortis. En deuxième année, il m'avait écrit un petit mot qui ressemblait à ceci :

À sept ans, on ne répond pas à ce genre de message. On rougit, on se trouve importante, sans plus. Mais je souris aujourd'hui à la pensée que c'est officiellement lui qui a fait les premiers pas!

Puis l'adolescence arrive et l'amour ressemble alors à deux corps enlacés. Il devient à la fois gênant et omniprésent. On occupe une grande partie de notre temps à sonder les regards, à décoder les remarques, pour tenter d'y trouver une marque d'attention. Plaire. À tout prix. À tel point qu'on y perd notre identité. Vouloir plaire au point de se faire mal, de se priver, de se torturer l'esprit. Vouloir toucher, sentir. C'est un retour à l'aspect sensitif qu'avait l'amour à notre naissance, l'innocence en moins.

Survient alors la première histoire d'amour. Le cœur qui bat jusque dans les oreilles. L'image de l'autre, omniprésente, comme un fond d'écran dans le cerveau. Et les scénarios... Avant de fixer toute mon attention sur mon bel Adonis, j'ai eu le temps de m'en faire des tonnes, de ces films, et ils étaient tous plus quétaines les uns que les autres! La première fois, j'étais en cinquième année du primaire. Timide, je n'osais pas dévoiler mes sentiments. Je donnais des noms de code à ceux qui me faisaient de l'effet pour être certaine qu'on ne découvrirait pas qui ils étaient. Mon premier *kick*, je l'avais surnommé Chintok. Aujourd'hui, il me semble qu'il aurait été tellement plus simple de tout raconter à mes amies et de tenter ouvertement des manœuvres de séduction! Mais je n'étais pas comme ça. Dans ma tête, tout était beaucoup plus beau que dans la vraie vie. Je ne voulais pas être déçue par la réalité (qui, forcément, ne serait jamais à la hauteur) ni interrompre la belle saga irréelle qui jouait en boucle dans mon esprit.

Même si je le voyais chaque jour en classe, je n'ai jamais rien dit à mon premier amour... Avec le recul, je ne comprends pas ce que je pouvais lui trouver! Il était arrogant et plutôt malcommode. En classe, il faisait exprès de s'asseoir derrière moi et tentait, sans aucune subtilité (ni habileté), de détacher mon soutien-gorge. Honteuse, je dois admettre que ce petit jeu était à peu près la seule attention qu'il m'accordait. Je ne me suis donc pas défendue, soucieuse de soutenir son intérêt (douteux).

Je n'ai eu d'yeux que pour lui jusqu'au secondaire, lorsqu'il a changé d'école. Après, j'ai dû faire mon deuil. Non sans drame, vous le devinerez! Mon journal intime de l'époque (un horrible ramassis de feuilles trouées reliées, et enveloppées d'un papier rose à cœurs) est rempli de jérémiades plus pathétiques les unes que les autres, du genre: «Pourquoi m'as-tu abandonnée?», «Comment pourrais-je t'oublier?» «Où es-tu? Je pense à toi sans cesse...» Ce sont assurément les écrits les plus gênants que j'ai pondus de toute ma vie!

Mais j'ai bel et bien fini par l'oublier, ce Chintok, et l'été de mes quatorze ans, le cœur à nouveau libre, je me suis amourachée de l'être le plus improbable qui soit...Prenant part à un camp d'été, j'ai jeté mon dévolu sur... le chauffeur d'autobus! Il avait vingt-sept ans et arborait une magnifique coupe Longueuil alors que son front commençait tranquillement à se dégarnir. Très concentré sur son rôle de conducteur, il ne semblait pas vraiment intéressé à créer des liens ; il ne me parlait pas, pas plus qu'il ne me regardait. À ses yeux, j'étais une gamine ronde sans aucun intérêt. Malgré tout, voilà que le film se remettait à tourner dans ma tête! J'aimais le petit quelque chose de doux qu'il avait dans les yeux. Je me pâmais sur sa démarche, un peu nonchalante.

J'ai passé les cinq semaines qu'a duré le camp à imaginer notre mariage, nos enfants, le mariage de nos enfants et, surtout, sa première déclaration d'amour. Ouf! Honnêtement, s'il m'avait fait une telle déclaration pour de vrai, j'aurais pris mes jambes à mon cou tellement c'était intense!

Puisque l'amour de ma vie ne me parlait pas, ne me regardait pas et ne me souriait pas, je devais trouver un moyen de m'assurer qu'il pense un peu à moi. J'ai alors fait un des gestes romantiques les plus audacieux de ma vie... Je ne vous raconte pas cette anecdote par fierté. Au contraire, c'est par souci de transparence et d'authenticité que je vous dévoile mes plus absurdes secrets.

À cette époque, je frisais autant que je rêvassais. Alors, si je laissais un cheveu quelque part, tout le monde savait que c'était le mien. Ce jour-là, fébrile et au comble de l'excitation, j'ai attendu la pénombre pour m'infiltrer dans l'autobus de mon bien-aimé. Investie d'une mission, je me suis arraché (non sans douleur!) plusieurs cheveux, que j'ai déposés sur le volant.

Analysons maintenant la chose sous deux angles bien différents.

## SCÉNARIO 1 • DANS LA TÊTE DE JULIE :

En arrivant au travail, l'homme de mes rêves allait s'asseoir, prendre délicatement un cheveu entre ses doigts et se dire :

– Tiens, c'est sûrement un cheveu de la belle petite frisée! Mon Dieu, ça veut dire qu'elle a touché mon volant!

Youhou, c'est fantastique! Je vais aller la voir, lui parler de sa magnifique crinière et la demander en mariage.

SCÉNARIO 2 ✽ DANS LA RÉALITÉ :

Le chauffeur de vingt-sept ans s'est assis et s'est exclamé:

– Voyons! Comment ça se fait que mon volant est plein de poils?!

Puis il a balayé le tout du revers de la main.

Évidemment, le lendemain, son attitude envers moi n'avait pas changé. Le camp a pris fin et, avec lui, cet amour improbable. Mais les films d'amour ridicules, eux, ont continué de se succéder dans ma tête, avec: l'ami de mon cousin que j'ai vu deux fois; un frisé rencontré dans un autobus, un camarade de classe qui, aussi timide que moi, m'envoyait des fleurs toutes les Saint-Valentin sans pour autant me parler le reste de l'année, etc. Jusqu'à ce que mon camarade de classe du primaire et ses tulipes reviennent me hanter...

Nous étions en troisième secondaire. Il était un peu maigrichon, mais plutôt beau. Il venait de jeter ses grosses lunettes à la poubelle et dévoilait enfin au monde ses yeux verts, clairs et perçants. Je ne sais pas pour les autres, mais moi je les ai remarqués illico. J'ai lu quelque part que l'attirance réciproque naît souvent d'une marque d'attention. Quand on sent que quelqu'un s'intéresse à nous, on a spontanément tendance – à moins que la personne ait un physique ingrat ou une personnalité repoussante – à s'y intéresser en retour. C'est un peu ce qui est arrivé entre nous.

Guère plus habile dans son approche que ne l'avait été Chintok, mon Adonis se plaisait à me faire fâcher. Il cachait mes choses, volait mon agenda, me provoquait. Il trouvait ça drôle, disait que j'étais « mignonne » quand j'étais en colère. À l'époque, mon agenda scolaire était rempli de proverbes, de pensées et de poésie. Un jour, alors qu'il me l'avait dérobé, il a entrepris d'ajouter ses propres pensées à côté de mes écrits. Sans même l'avoir cherché, nous avons ainsi développé une complicité particulière. Il avait mis les pieds dans mon jardin secret et s'y était senti chez lui.

Mis à part mon amie Taïka, je n'aurais jamais cru que quelqu'un puisse s'intéresser à ce que j'écrivais. Encore moins un bel Adonis de l'équipe de basket! Je sentais mon cœur s'emballer. À partir de ce jour-là, nous avons échangé des écrits et nous avons commencé à avoir de petits rendez-vous informels. « Par hasard », il passait l'heure du dîner à la cantine quand c'était mon tour d'y travailler. Il m'arrivait de rater volontairement l'autobus pour faire le trajet avec lui, qui le prenait plus tard. Et nous parlions.

Il me posait des questions sur la façon de penser des filles et j'alimentais la conversation avec joie. J'avais l'impression d'être la digne représentante de la gent féminine et j'aimais bien l'idée qu'il puisse avoir besoin de moi pour comprendre notre univers complexe et délicat. Il n'avait certes pas ce genre de discussion avec ses amis-*full*-ados-*kings*-du-basket… Chacun de nos rendez-vous avait des allures de « coïncidence ». Comblée de ces faux hasards, j'ai entrepris un nouveau scénario, sans savoir que ce serait celui du plus beau film de ma vie.

De nature toujours aussi secrète, je n'ai parlé à personne de mes sentiments pour mon Adonis, sauf à une amie bien spéciale qui ne fréquentait pas la même école que moi. Je voyais venir la fin du secondaire et je commençais à angoisser. Sans prétexte pour créer des coïncidences, allais-je le perdre, lui qui était devenu, en deux ans, un indispensable dans ma vie ? Je me sentais bien avec lui. Il n'y avait pas cette désagréable impression d'inconfort ou de gêne que je ressentais avec d'autres garçons. Il avait de l'estime pour moi.

Aujourd'hui, je comprends que c'est ce qui me faisait me sentir si bien en sa présence. Je me sentais importante. Je craignais de ne jamais pouvoir retrouver, avec quelqu'un d'autre, ce mélange peu commun de sensibilité et de virilité. Il était ouvertement macho et n'avait rien d'un homme rose, et pourtant il y avait cette profondeur dans son regard, dans ses paroles. Il avait les pieds sur terre mais savait déceler dans mes rêveries une vérité intéressante.

Je ne pouvais me résigner à le laisser filer, mais je n'arrivais pas à me résoudre à lui avouer mes sentiments non plus. Malgré nos affinités, nous avions quelques divergences d'opinions. Avec ses copains, il vivait pleinement son adolescence sans chercher à établir une relation sérieuse. De mon côté, disons que je le voulais dans ma vie... mais pour toute la vie! Alors pas question de lui dire combien il comptait pour moi, je craignais qu'il prenne ses jambes à son cou. Je devais compter sur le hasard, croire qu'il nous réunirait, même sans le prétexte de l'école.

Quand les vacances arrivèrent, je tentai de forcer un peu la main au destin. J'essayai de fréquenter les endroits qui lui plaisaient, de me promener dans son quartier... sans succès. De son côté, il m'a raconté plus tard qu'il s'était rendu à mon travail dans l'espoir de m'y voir, mais qu'il était tombé sur une de mes journées de congé.

Je me suis inscrite au cégep de Sainte-Foy et, comme la plupart des gens, je ne connaissais personne dans mes cours. Je n'appréciais pas vraiment cet anonymat forcé et craignais de m'ennuyer à mourir pendant les deux années à venir. Un peu désemparée et nostalgique de ma petite école secondaire, devinez sur qui je suis tombée dès la première journée ? Il était là. Inscrit en sciences pures, il avait un horaire presque identique au mien ! Notre relation reprit là où on l'avait laissée, de manière toujours aussi informelle.

Je connaissais son emploi du temps par cœur et je me retrouvais « par hasard » à dîner en même temps que lui, à l'attendre à la bibliothèque après un cours, à venir au cégep pendant ma journée de congé pour meubler un de ses temps libres entre deux cours... Nous étions plus proches que jamais. Je me souviens d'avoir alors réalisé à quel point j'étais amoureuse. Je me levais chaque matin avec une seule idée en tête: le rejoindre quelque part. J'étais constamment à l'affût. Dès que j'apercevais son sac à dos brun à *zipper* rouge, mon cœur faisait trois tours!

À défaut de dévoiler mes sentiments au principal intéressé, j'ai trouvé le courage d'en parler à mon amie Marianne. Elle aussi avait fréquenté notre école secondaire, et mes aveux la surprirent au plus haut point. Nos petites rencontres étaient passées tellement inaperçues que, à ses yeux, c'était étonnant que nous puissions avoir développé des sentiments l'un pour l'autre sans se côtoyer.

Mais à partir de ce moment-là, elle porta plus attention.

– C'est vrai qu'il te regarde beaucoup... Dans nos conversations, il s'adresse toujours à toi en premier...

Et les commentaires du genre se sont mis à fuser, me donnant le droit d'espérer un peu et de rêver plus encore.

Malgré les faibles chances de voir une relation durable s'établir entre nous, je commençais à souhaiter que nous passions aux aveux. Mais je n'aurais jamais osé! Encore une fois, le hasard a dû s'en charger.

– Es-tu en amour ? me demanda un jour mon Adonis entre deux cours.

Moi qui aurais habituellement menti, je m'entendis lui répondre :

– Ça paraît tant qu'ça ?... Et toi, es-tu en amour ?

– Oui, mais je ne sais pas si ça peut marcher. Est-ce qu'il le sait, le gars ? me relança-t-il.

– Non.

– Pourquoi ?

– J'ai peur.

– Peur de quoi ?

Il me tendait une belle perche. Je trouvais étrange que nous ayons cette discussion à peine voilée sur nos sentiments, mais je me disais qu'il tâtait le terrain, qu'il essayait de voir s'il devait se dévoiler ou pas...

– J'ai peur de tout gâcher, de perdre son amitié, de me faire dire non.

– Tu devrais le lui dire.

Et moi, je lisais entre les lignes: «Allez, crache le morceau, dis-le, que tu es follement amoureuse de moi!»

– Et toi, tu as parlé de tes sentiments à la fille qui t'intéresse?

Vint alors cette réponse qui, comme un poignard, me transperça les entrailles.

– Non... mais c'est juste parce que je ne la vois pas très souvent, sinon je le lui aurais déjà dit...

Horreur! J'étais disqualifiée!!! Il ne pouvait pas être question de moi, on se voyait chaque jour! Il était là, à me raconter qu'il en aimait une autre... Tous mes scénarios se sont écroulés en un clin d'œil. Au bord des larmes, j'ai prétexté un devoir à faire et je suis montée à l'étage supérieur de la bibliothèque, où je me suis effondrée. Je sanglotais comme un bébé, incontrôlable. Rien n'avait plus d'importance. Ni le cours que j'étais en train de manquer, ni les yeux braqués sur moi, pas plus que mon maquillage qui dégoulinait.

Comment une telle histoire pouvait-elle avoir une fin heureuse ? Il avait peut-être voulu me tester, pour voir ma réaction et pour s'assurer que mes sentiments seraient heurtés ? Allait-il revenir me dire qu'il m'aimait et s'était joué de moi ?

Même moi, la reine des scénarios, je n'avais plus envie de m'inventer des histoires. Je devais savoir ce qu'il en était vraiment, tout de suite. J'avais peur de vivre les prochains mois dans le néant en attendant un signe de sa part. Prête à me jeter dans le vide, je suis redescendue aussitôt. Je me suis plantée devant mon Adonis (triste spectacle...) et je lui ai lâché comme un coup de massue :

– Tant qu'à me briser le cœur, vas-y fort, et dis-moi de qui tu es amoureux !

Il n'y avait plus d'échappatoire possible, plus d'illusion à entretenir. Il refusa de me révéler le nom de ma rivale, mais confirma que j'avais bel et bien perdu au jeu. Dans toute l'intensité de mon chagrin (et de la morve disgracieuse qui s'écoulait sans vergogne de mon nez), je fus tout de même consolée par la tristesse que je lus dans ses yeux.

– J'voulais vraiment pas te faire de peine, Julie.

Il n'a pas aimé me voir pleurer. Il ne voulait pas me savoir triste. C'était déjà ça! Mais allais-je pouvoir compter à nouveau sur notre amitié, elle qui venait de se fracasser contre des sentiments beaucoup plus forts?

Quand il fut parti, je restai figée sur place. Incapable de bouger. C'est Marianne qui vint ramasser les morceaux de ce qu'il restait de moi. La tête sur ses genoux, je passai de longues minutes à pleurer et à contempler le vide qui venait d'envahir mon cœur.

Ce n'était pas une peine ordinaire. Je vivais ma plus grande peine d'amour. Et elle a duré un an. Manger était devenu inutile, alors pour la première fois de ma vie, je me mis à fondre comme neige au soleil. Mais je n'en avais rien à faire, les chiffres sur le pèse-personne ne m'importaient plus, pas plus que le temps qu'il faisait dehors ou la vie qui défilait. Je pleurais chaque jour. J'écoutais de la musique triste à tue-tête. Aucun professeur n'était intéressant désormais.

C'est fou, cet état léthargique dans lequel l'amour peut nous plonger! Rien de raisonnable, une perte de contrôle totale. Moi qui, naïvement, avais pris la peine d'insister auprès de mon bourreau pour que nous restions amis, je n'avais plus la force de me retrouver dans la même pièce que lui. J'ai donc tôt fait de l'éviter, incapable de le voir sans que mon cerveau déraille et se fabrique une nouvelle histoire, dans laquelle l'amour de ma vie me reviendrait.

J'ai vécu cette année-là sur le pilote automatique, apprenant par la bande qu'il fréquentait quelqu'un. Même ma créativité débordante n'était plus au rendez-vous. J'essayais de me faire de beaux scénarios avec d'autres gars, mais ils finissaient tous avec des yeux verts et un sac à dos brun et rouge...

J'ai alors décidé de partir en voyage. Pour essayer de revivre un peu. J'avais l'impression qu'en m'éloignant, je pourrais arrêter de penser à lui. Et s'il fallait que je vive en exil durant ma vie entière pour arrêter d'avoir mal, je prendrais les mesures nécessaires. Je partis donc deux mois en Espagne et, dès mon retour, je fis une demande de visa afin de pouvoir y retourner pour un séjour plus long. Je ne savais pas que le hasard (ce divin hasard!) m'attendait au tournant.

Comme les démarches pour obtenir un visa prenaient un certain temps, je retournai au cégep en attendant de recevoir les papiers qui me permettraient de mettre mon plan de fuite à exécution. Mais voilà qu'un jour, après plus d'un an passé à l'éviter, je vis le fameux sac à dos réapparaître au bout d'un couloir. Le temps ayant calmé la douleur, la joie de se revoir fut réciproque. Nous nous assîmes près d'une fenêtre et... ce fut le début d'une longue série de rendez-vous informels, comme jadis. Sauf que cette fois, nous étions plus vrais, plus mûrs. La facilité et le naturel qui imprégnaient nos rencontres lui ont fait prendre conscience de l'évidence. L'évidence de nous deux. Et moi, lasse de me battre, j'ai laissé mon imaginaire réinventer des lieux confortables, des lieux où nous étions ensemble, amoureux.

Il était toujours en couple, mais visiblement pas très heureux. L'idée d'une histoire avec moi germa alors en lui. Cependant, il avait beaucoup à faire avant d'en arriver là, et il était doué pour la procrastination (talent qu'il exerce encore aujourd'hui). L'été arriva et je ne reçus toujours pas de visa. De fil en aiguille, nos chemins se croisèrent de plus en plus souvent, sans que le hasard en soit responsable cette fois. Nous parlions de son désir nouveau de s'occuper davantage de son âme, de sa spiritualité. Il nous arrivait même de discuter de sa relation et du fait qu'il souhaitait y mettre fin. Mais un cœur meurtri ne s'emballe pas aussi facilement, et je redoutais de me faire prendre une deuxième fois à ce petit jeu, à la fois doux et amer. J'espérais très fort la venue de ce visa, qui y mettrait un terme.

Jusqu'à ce jour-là...

Le jour où, puisqu'on nous avait invités au même party d'anniversaire, je dus assister au spectacle pénible de MON Adonis avec celle qui partageait alors sa vie. Il me sembla soudain évident que je me faisais du mal, que j'étais à un cheveu de replonger dans cette léthargie que je venais de quitter. Je devais arrêter tout ça. Je le fis par le biais d'une lettre, que je résumerai ainsi :

> *Si vraiment tu ne me choisis pas, si réellement je ne fais pas partie de tes plans, peux-tu dire à tes yeux d'arrêter de me fixer ? Peux-tu cesser de me confier tes états d'âme ? Arrête de me faire sentir importante, laisse-moi te fuir, redonne-moi ma vie.*

Je n'eus pas de réponse tout de suite. Mais après quelques jours, je reçus un coup de téléphone de sa part et il me donna rendez-vous. Puis il annula; il préférait m'écrire. Je ne savais franchement pas si c'était bon signe. Jusqu'à ce que j'entende, entre les branches, qu'il avait retrouvé son célibat, et ce, le soir même où il avait lu ma lettre! Ces quelques jours d'attente me semblèrent interminables. J'avais tout mis sur la table, sans orgueil, sans retenue, c'était un véritable *all in*. Sa lettre arriva... et elle me fit peur dès que je lus les premières lignes:

> Je sais que tu seras troublée par ce que j'ai à te dire. Ne déchire pas ma lettre tout de suite... La voici, cette vérité qui libère.

Il se lançait ensuite dans des explications sur son cheminement personnel, rien qui aurait pu me laisser croire que j'avais gagné son cœur. Et puis vint cette phrase, mémorable:

> Tu veux savoir comment je te perçois? Un peu comme un ange au milieu de la foule. Tu crois que je n'ai pas compris combien tu es merveilleuse?

Avec mes larmes coulaient les mots. Beaux. Des mots d'amour. Il m'aimait. Il le savait depuis longtemps. Il avait mis du temps à s'assumer. Avec la même intensité que ma peine de la dernière année, une joie euphorique s'empara alors de moi.

Vous devinerez que je ne suis jamais repartie en Espagne. Par ailleurs, mon visa n'a jamais été émis. Problèmes bureaucratiques, paraît-il.

Cette déclaration écrite donna ensuite lieu à un premier baiser, à des rêves communs, à des fiançailles et à des enfants. À partir de ce moment-là, je n'ai plus eu besoin de rêvasser, la réalité était plus grande que la fiction.

Je suis retournée dernièrement au cégep de Sainte-Foy et, à mes yeux, chaque couloir, chaque mur, chaque escalier est marqué des émotions que j'ai ressenties à l'époque. Les souvenirs qui ont ressurgi ne concernaient en rien les cours que j'y ai suivis, les amis que je m'y suis faits ou les décisions existentielles que j'ai dû y prendre... Le nom de mon Adonis est inscrit dans chaque racoin, son odeur est omniprésente dans les couloirs et son sac à dos apparaît à chaque tournant. Retourner là où tout a commencé m'a fait comprendre l'intensité de ce que j'y ai vécu.

Et douze ans plus tard, me voici. Toujours mariée à cet homme que j'aime. Quand je repense à cette époque, à nos débuts, j'ai l'impression que ça fait des siècles! La belle euphorie du début a fini par s'estomper. Son sac à dos ne me fait plus frémir. Nous avons dû nous ajuster souvent et nous parler durement aussi, parfois. Mais à mon âge, on commence à comprendre que les battements de cœur, les frissons et l'euphorie du début sont l'équivalent du gloussement d'un animal en rut, du déploiement magistral des plumes d'un paon ou de la parade colorée d'un insecte étrange. Sans cela, nous ne serions pas attirés les uns envers les autres. C'est cette extase magique qui nous guide vers quelqu'un, qui nous empêche de faire route en solo, qui nous incite à faire des enfants et à s'oublier un peu. Mais ce n'est qu'une mascarade, et la nature profonde de l'amour véritable n'apparaît qu'une fois la parade terminée.

Quand le rideau tombe, quand le spectacle est fini, que l'autre n'est plus parfait, plusieurs couples se séparent. Pourtant, le plus beau est à venir : c'est à ce moment précis que l'amour entre en jeu. Comme il est précieux d'avoir quelqu'un qui nous complète dans nos moments de gloire, mais aussi d'humiliation! Quelqu'un avec qui on a tant partagé qu'on ne peut s'imaginer continuer sans sa présence, aussi irritante puisse-t-elle être parfois. L'amour, c'est se consacrer à quelqu'un, même si cela implique de mettre quelques rêves, habitudes, lubies ou envies de côté pendant un moment. Et recevoir en retour la présence inébranlable de l'autre à travers les hauts et les bas de la vie.

Il n'est plus question de facilité, de nudité ou d'acceptation. Il est question de profondeur, de patience, de vérité, de douleurs partagées, de joies secrètes et de souvenirs inestimables. Comme celui d'un sac à dos brun à *zipper* rouge...

# Deuil et naissance

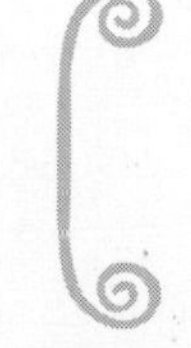

Tout a changé
Déjà
Le monde, maintenant
C'est toi

Dans cette petite vie sans histoire, il m'est tout de même arrivé quelque chose dont je peux être fière. Trois choses, en fait. Bruyantes. Époustouflantes. Accaparantes. Bouleversantes. Indescriptibles.

J'ai eu trois enfants.

Assez tôt dans mon adolescence, mon horloge biologique m'a fait signe. Comme tout le reste, elle était en avance. Je rêvais d'avoir des enfants et j'avais une vision très poétique de la maternité, semblable aux images que l'on voit sur les vieilles peintures : des femmes rondes et belles, des bambins aux boucles parfaites blottis contre leur poitrine. Je me voyais exactement comme ça, avec des enfants qui ressemblent à des anges, qui ont une petite voix douce et de jolies mains potelées. Ils n'auraient que des défauts mignons. Ils seraient taquins mais pas méchants. Énergiques mais pas violents. Sensibles mais pas geignards. C'était tout beau… tout faux!

Plusieurs années plus tard, lorsque je fis enfin pipi sur le fameux bâtonnet blanc, l'excitation était à son comble. Je tentais de me convaincre que ça y était :

– Je sens déjà qu'il est à l'intérieur de moi. Je ressens un pincement ici. Et un tiraillement là. Et puis je suis si fatiguée…

J'avais passé des heures sur Internet à chercher des forums qui renfermaient les mots-clés « grossesse », « premiers symptômes »… Et comme toutes les futures mamans fébriles, je scrutais mon corps à la loupe pour y détecter un signe, aussi infime soit-il, qui confirmerait mon état.

Je fus donc complètement retournée lorsque le test indiqua que je n'étais pas enceinte. Il n'y avait qu'une option ; il devait faire erreur. C'est ainsi que je flambai une partie du budget mensuel pour acheter un test de grossesse après l'autre, espérant que l'un d'eux confirmerait ce que je croyais déjà savoir.

Après le quatrième, j'eus un doute. Et si mon cerveau me jouait des tours? Si je devenais folle et que je m'imaginais ces symptômes? Je devais en avoir le cœur net. Je devais faire un dernier test. Si celui-là me disait non, je le croirais cette fois. Je me rendis donc à la pharmacie et, l'air coupable, j'évitai de regarder la caissière qui m'avait vue acheter les quatre premiers tests et devait sans doute trouver que je m'acharnais.

J'ai appris plus tard que l'achat compulsif de tests de grossesse est assez répandu chez les futures mamans. Alors messieurs, sachez ceci : les frais de pharmacie que vous voyez apparaître sur votre relevé de compte bancaire lorsque vous donnez votre OK pour avoir un bébé, ce ne sont pas seulement des analgésiques ou des produits défrisants. Quoi que votre femme vous dise, elle achète des tests de grossesse en cachette! Je suis déjà allée me procurer un test sur mes heures de travail, pour une collègue qui voulait en faire «un dernier» sans que son mari le sache. Elle avait eu raison d'insister; le test était positif!

Je passai donc ce cinquième test, bien décidée à croire le résultat que j'obtiendrais, quel qu'il soit. Je fermai mes yeux pendant le délai d'attente prescrit. Puis je les ouvris et, miracle, je vis apparaître la timide ligne rose tant espérée. Cette ligne qui me disait que j'avais eu raison de m'acharner.

Adolescente, alors que je rêvais de bébés, j'avais repassé des dizaines de fois dans ma tête le moment où j'allais annoncer ma grossesse à mon futur mari. Une scène digne d'un grand film, comme je sais si bien les imaginer. Ses yeux devenaient humides et, ému, il disait :

– C'est vrai, tu en es certaine ?

J'acquiesçais de la tête et il me soulevait dans ses bras pour me faire tournoyer en me disant qu'il m'aimait, musique de fond en prime. C'était interminable et magnifique. Je ne savais pas alors que la vie n'est pas souvent comme dans les films... Que la plupart des hommes n'aiment leurs enfants qu'une fois qu'ils les ont rencontrés. Qu'ils n'ont pas tous la faculté de se projeter dans l'avenir pour anticiper le bonheur qu'un enfant leur fera vivre. Qu'ils sont en fait terrifiés à l'idée d'être bousculés dans leur quotidien, de voir quelqu'un dépendre d'eux, de ne pas être à la hauteur de l'image virile et assurée qu'ils ont d'eux-mêmes.

Bref, dans la réalité, mon mari ne m'a pas fait tournoyer dans les airs. D'abord, pour toutes les raisons énumérées plus haut. Ensuite, parce que je suis plutôt lourde et pas très souple. Enfin, parce qu'il était cinq heures trente du matin (le premier pipi matinal est le plus efficace, à ce qu'on dit...).

– La ligne est trop pâle, tu dois t'être trompée..., a grogné mon Adonis une seconde avant de se remettre à ronfler.

Mon magnifique scénario venait d'être anéanti, mais cela n'enlevait rien au fait que j'étais bel et bien enceinte. Je me sentais si heureuse et comblée! Malgré ma volonté initiale de discrétion, la région de Québec au grand complet était au courant en vingt-quatre heures. (Mon homme vous dirait sans doute qu'une Julie enthousiaste est rarement discrète...) Mais même lui, quoique doutant encore un peu devant cette ligne rose « trop pâle », prenait plaisir à fanfaronner qu'il allait être papa.

Qui dit premier bébé dit aussi lecture intensive d'ouvrages sur la grossesse. Plusieurs bons livres, croustillants et honnêtes à souhait, m'ont permis de mieux vivre avec les vergetures, les reflux gastriques, les pannes de désir sexuel et les crises de bipolarité propres à la maternité. Avec le culte de la minceur qui fait rage actuellement, il est parfois difficile pour une femme enceinte de voir, dans son ventre qui s'arrondit, la beauté d'une vie qui s'annonce. Alors, quoi de mieux qu'un bon livre pour m'aider à dédramatiser les cratères et les monts de mon corps déformé ?

À ma trente-troisième semaine de grossesse, ma fille a cru bon venir loger son petit fessier là où il aurait été plus commode d'engager sa tête. Déjà décidée à faire les choses à sa manière, elle s'est présentée par le siège. À ce moment de ma vie, je ne voyais pas vraiment en quoi une césarienne était différente d'un accouchement normal. Si j'avais su, j'aurais insisté pour que le médecin tente de retourner mon bébé. J'aurais peut-être même demandé qu'on essaie de m'accoucher en siège… Après tout, même si cette pratique n'est pas courante, il arrive que tout se passe bien, malgré les risques de complications plus élevés. Mais j'étais immense et j'en avais marre de tous ces questionnements sur la façon d'extirper ma petite Mia de mon corps. Je n'ai donc pas insisté. J'ai laissé le corps médical agir dans mon intérêt et celui de mon bébé à naître.

Ma fille est née le 14 février, cadeau de Saint-Valentin. De ma petite civière froide, les bras en croix, j'ai vu mon mari vivre la naissance de notre fille telle que j'aurais voulu la vivre moi-même. Il l'a accueillie, l'a prise, lui a parlé, l'a emmaillotée et, après ce qui m'a semblé être une éternité, j'ai pu à mon tour poser mes yeux sur elle, mais il m'était impossible de la prendre, de toucher ses pieds, de la sentir. J'étais trop occupée à me faire refermer le ventre.

Non, je n'ai pas souffert de la même manière que les femmes qui accouchent naturellement. Je n'ai pas écarté les jambes, en sueur, écarlate et geignant de douleur devant mon mari pétrifié, comme le racontent certaines. Loin de moi l'idée d'idéaliser les accouchements par voie vaginale : je n'ai pas beaucoup souffert, mais je n'ai pas non plus accouché.

Mon corps ne m'a pas avertie de l'arrivée de mon bébé. Je n'ai pas senti de contractions progressives, on ne m'a pas encouragée en me massant le dos. Je ne suis pas une héroïne comme ces autres mamans avec qui on est aux petits soins. Dans les yeux de mon conjoint, je n'ai pas vu cette admiration devant une femme qui, dénaturée par la douleur, lui fait cadeau de la vie. Je n'ai pas eu l'impression de « mettre mon enfant au monde », de participer à la naissance de ma fille. On l'a retirée de mon corps, comme on fait l'ablation d'une tumeur ou d'un abcès. Même si j'étais déjà follement amoureuse d'elle, je suis rentrée chez moi avec un grand vide en dedans. Une amère impression qu'on n'avait pas eu besoin de moi pour l'aider à voir le jour. Je n'avais servi à rien. Dès lors, je résolus de tout mettre en œuvre pour que mon prochain accouchement soit naturel.

Deux ans plus tard, je fis d'autres dépenses massives en tests de grossesse et j'appris que j'étais à nouveau enceinte. Mon Adonis ne me fit pas tournoyer dans les airs, mais je n'avais plus besoin de ce genre de démonstration pour savourer pleinement la nouvelle. Commença alors une autre «maladie chronique» de la femme enceinte: la lecture d'histoires d'accouchements. Sur Internet, dans des livres, en personne, je dévorais les témoignages l'un après l'autre, surtout ceux qui racontaient des AVAC (accouchement vaginal après césarienne). Je connaissais les risques, mais je savais aussi que c'était ma dernière chance de pouvoir le vivre. Si je devais subir une deuxième césarienne, je craignais que les médecins ne veuillent pas, par la suite, m'accoucher naturellement, le risque de rupture de l'utérus étant trop grand. Au troisième trimestre de ma grossesse, on me fit un bilan. Le bébé était bien placé cette fois, mais il était plutôt gros. Si je voulais éviter la césarienne, il était préférable que j'accouche un peu avant terme. On m'a avisée qu'on ne me donnerait pas de médicament pour activer le travail et que je serais sous haute surveillance pendant l'accouchement. Malgré ces contraintes, j'avais toutes les raisons de croire que c'était possible et je nourrissais mes espoirs à fortes doses de scénarios dans lesquels j'accouchais, telle une héroïne, suant à grosses gouttes et poussant des cris rauques, comme dans les films.

Au cœur de l'été, je me rendis au chalet familial et m'installai dans la chaloupe, sur le lac. Le vent devint mon complice et les vagues frappèrent l'embarcation avec vigueur, me faisant rebondir sans ménagement. Cette manœuvre peut sembler violente, mais c'est dire à quel point j'avais la ferme intention de respecter ce qu'on m'avait prescrit, soit d'accoucher avant terme.

Deux jours plus tard, le 10 août 2008, mon mari et moi passions une soirée tranquille chez des amis quand je compris que mon intervention avait été efficace. Dans la salle de bains, je restai perplexe devant ce pipi qui n'en finissait plus. À l'affût grâce aux nombreux témoignages que j'avais lus, je compris alors que je perdais mes eaux. Victoire! Mon garçon allait naître onze jours plus tôt que prévu! C'était parfait. En me levant, je fis un dégât monumental, et ce n'est qu'alors que je pus lancer cette réplique célèbre qui me procura un vif plaisir:

– Je crois que j'ai perdu mes eaux!

L'espèce d'euphorie généralisée qui s'installa à ce moment dans la maison restera toujours gravée dans ma mémoire. Et moi, tremblant de tout mon corps, qui laissais des traces gélatineuses derrière moi. Ça y était. J'allais enfin découvrir ce que c'était que de mettre un enfant au monde!

Nous sommes donc partis, fébriles, pour déposer Mia chez sa grand-maman, puis avons fait route vers l'hôpital. Il était passé minuit lorsque nous avons mis les pieds au Centre Mère-Enfant. Très élégante avec ma serviette de plage entre les jambes, j'étais beaucoup plus enthousiaste que nerveuse.

Bien vite, on m'annonça qu'il y avait un problème. Même si la poche de liquide était percée – merci, ô technique de la chaloupe –, mon garçon n'était pas engagé et je n'avais pas de contractions dignes de ce nom. Pour les infirmières de garde, le topo était clair et elles m'en firent part aussitôt:

– Prépare-toi pour une césarienne!

Lorsque je fondis en larmes, aucune d'elles ne sembla comprendre. Elles en voyaient chaque jour, de ces femmes souffrantes qui réclamaient une péridurale! Elles percevaient leurs cris dans les couloirs, les entendaient supplier pour être soulagées. Qu'est-ce que je pouvais bien leur envier, à ces femmes malmenées par leur propre corps? Tout! L'occasion d'être de la partie. L'expérience d'une vie. L'instinct naturel d'une maman qui fait naître son petit.

– Ben voyons donc, c'est pas si grave! me dit l'une.

– L'important, c'est que ton bébé naisse en santé, renchérit l'autre. Et c'est moins risqué pour toi.

C'était la vérité, mais je ne voulais pas l'entendre, submergée par la déception, la panique et l'effondrement de cet objectif entretenu avec conviction depuis mon premier accouchement.

Mon médecin me donna la nuit pour voir si les contractions se mettraient de la partie, et elle me quitta sur ces sages paroles:

– Les femmes pour qui ça vire mal sont celles qui s'entêtent à vivre un accouchement naturel même si les conditions ne sont pas bonnes. Les conditions ne sont pas bonnes pour toi, alors essaie de ne pas t'entêter.

Qu'est-ce que je pouvais répondre à ça? Je voulais avant tout que mon p'tit gars naisse en vie et en bonne santé. Oui, j'avais compris ce qu'elle avait voulu dire. Mais au-delà de la fatigue et des hormones, j'ai senti quelque chose se briser en moi, quelque chose de profond, et je savais que cette brisure engendrerait davantage qu'une peine passagère.

Après quelques heures à me retourner dans mon lit, à prier et à dormir un peu, j'étais en route vers le bloc opératoire, en larmes. Mon bel Adonis savait à quel point j'étais déçue. Pas qu'il comprenait ma déception, mais j'ai senti qu'il la respectait. Il m'avait vue tout mettre en œuvre pour vivre un accouchement naturel.

Encore dernièrement, nous regardions une émission à la télévision où une femme racontait son accouchement.

– Est-ce que ça te fait encore de la peine? m'a-t-il demandé.

Lui qui n'a pas toujours le réflexe de décortiquer les émotions, ça m'a touchée qu'il se souvienne et qu'il ait conscience du deuil que j'avais eu à vivre. À ce chapitre, je dois admettre qu'il a été parfait.

Alors qu'on m'injectait l'anesthésiant, j'ai décidé que mon fils méritait de naître dans la joie. Même s'il se pointait dans des circonstances que je n'avais pas choisies, je voulais que son arrivée soit triomphale. Je mis donc de côté ma peine pour accueillir, émue, mon premier garçon. Son visage m'a coupé le souffle. Il était tellement beau, mon Alek! Je me souviens m'être dit qu'il était parfait.

Après trois jours à l'hôpital, nous pensions pouvoir rentrer à la maison, mais Alek avait une infection des voies respiratoires et il ne pouvait pas quitter le Centre hospitalier. J'ai donc pensé que nous resterions encore quelques jours dans la chambre, mais l'infirmière la plus délicate de l'étage a vite mis les choses au clair avec nous :

– Ben non, on a besoin de votre chambre, vous pouvez pas rester!

– Je peux pas partir sans mon bébé! Je veux le nourrir, rester avec lui la nuit…

– Ils vont te laisser dormir dans la chambre de repos des médecins. Elle est dans un autre département. Ils vont t'appeler quand ton p'tit va vouloir boire. Mais le papa peut pas rester, par exemple, juste la maman.

Juste la maman? Excusez-moi, est-ce que quelqu'un se souvient qu'on vient juste de m'ouvrir le ventre?! Encore hier, on me disait de ne pas me lever plus de cinq minutes à la fois, de prendre ça «mollo». On me lavait même à la débarbouillette! Et là, du jour au lendemain, on me jette hors de ma chambre, on me donne un lit à l'autre bout du monde sans personne pour me pousser en fauteuil roulant, personne pour m'apporter à manger et aucun soutien moral ou physique? C'est fini, les vacances, on se bouge, la maman!

Je ne suis pas une personne très orgueilleuse. Résultat? Je me suis mise à sangloter comme un bébé devant l'infirmière insensible et hostile.

– Je sais pas ce qu'elles ont, les mamans, elles se mettent toutes à pleurer quand on leur dit ça. Vous êtes pas obligée de rester, ils vont s'en occuper, de votre bébé, à la pouponnière!

Merci d'en rajouter!

Quelques heures plus tard, mon valeureux mari me conduisit dans la fameuse chambre de repos des médecins, à l'autre bout de l'hôpital. Le regard triste, il m'apporta mes pilules pour la douleur, me donna de l'argent pour les machines distributrices et me laissa seule avec mon air défait, en pleine montée de lait et d'hormones, le ventre fraîchement débroché, sur un matelas aussi confortable qu'un vieux tiroir de commode.

Je me rendis donc à la pouponnière toutes les deux heures en m'appuyant aux rampes des corridors. J'y arrivais les yeux bouffis, des crampes plein les mollets, et c'est mon bébé de quatre jours qui me réconfortait. Je me sentais extrêmement vulnérable. Habituellement si bien entourée, voilà que je me retrouvais seule dans cet état lamentable. Cette première nuit, je développai un lien très fort avec mon fils, un lien que rien ne saurait détruire. Je ne pourrais dire lequel de nous deux avait le plus besoin de l'autre. Nous étions une équipe. Lui, avec sa pneumonie, aveugle et la peau encore fripée. Moi, avec mes émotions meurtries, ma solitude et mon ventre douloureux. Une équipe misérable. Mais indissoluble.

Lorsque nous avons entrepris la conception de notre troisième enfant, Jonas, je craignais plus que tout les espoirs déçus. J'ai donc choisi d'envisager la césarienne dès le départ, de faire la paix avec cette manière tout aussi légitime de donner la vie. Je dois admettre que ma nouvelle approche fut salutaire. Ma dernière grossesse aura été physiquement plus difficile, mais je l'ai vécue sans me torturer mentalement avec l'obsession de l'accouchement naturel. J'avais fait mon deuil et je tâchais de passer à une autre étape de ma vie.

À ma demande, Jonas est né devant la caméra. Pour la première fois, j'ai vu et compris comment mes enfants sont venus au monde. Lorsque mon dernier-né m'a été présenté, j'ai senti mon âme se rafistoler et je me suis enfin réconciliée avec ma façon de donner naissance. J'ai accueilli Jonas comme un roi, comme on se doit d'accueillir son petit, sans déception, sans vide intérieur, sans questionnement.

Aujourd'hui, Alek a quatre ans, Mia en a six, et bébé Jonas est encore tout petit. La façon dont ils ont vu le jour m'importe peu désormais. L'important, c'est qu'ils soient là.

C'est qu'Alek puisse grogner comme il aime tant le faire. Courir en se disant « un-deux-trois GO » à lui-même. Mettre le plus de toutous possible dans la poussette. Promener deux cailloux dans un chariot pendant des heures. Demander aux gens de l'appeler « Farine » ou « Patate ». Sauter en bas des meubles « juste pour voir si ça fait mal », et me réclamer à grands cris lorsque c'est le cas.

Ce qui compte, c'est le sourire de mon Jonas qui m'accueille après une dure journée de travail, sa façon à lui de nous dire, avec ses yeux, à quel point il est heureux d'exister, d'être avec nous.

L'essentiel, c'est que ma grande fille puisse continuer de rêver au prince charmant et de s'imaginer que les cheveux longs sont le symbole suprême de la beauté. C'est qu'elle n'arrête jamais d'espérer en secret se « mariager » un jour à Peter Pan.

L'autre jour, en voiture, je me suis retournée pour lui dire :

– Mia, tu sais que je t'aime ?

Elle m'a répondu :

– Maman, parle pas, fais juste m'aimer.

Elle a tellement raison. C'est tout ce qui compte. Mais je sais aujourd'hui qu'il est de ces deuils qu'on ne voit pas venir. Des deuils que peu de gens comprennent, parce qu'ils sont méconnus et durs à expliquer. Pourtant, il est vital d'en parler, car peu de moments sont aussi importants que celui où l'on donne la vie.

# Ronde et belle

Que font les incertitudes
Dans les cœurs comblés
Dans les âmes sereines
Dans les plus grandes espérances ?

Je suis ronde.

Pas obèse morbide. Pas nécessairement grosse, mais ronde.

Je ne l'ai pas toujours été. J'étais un bébé dodu, mais enfant, j'étais dans la moyenne. Je crois que j'ai commencé à prendre du poids en sixième année, je ne saurais trop dire pourquoi. Peut-être à cause des réserves de gâteaux Vachon dans le congélateur du sous-sol... Devinez qui avait sa chambre juste à côté de ce congélateur? J'avais donc toute la liberté voulue pour dévorer des gâteaux en cachette, ni vu ni connu. À l'occasion, ma mère enquêtait sans grande conviction sur les gâteaux manquants, mais sans plus. Évidemment, la responsabilité de ma prise de poids n'incombe pas entièrement à ces gâteries. Un bon nombre de facteurs génétiques, contextuels et hormonaux y participèrent également.

Je n'avais pas la discipline innée de ma sœur avec la nourriture. En fait, personne d'autre dans notre famille ne l'avait. D'ailleurs, c'est sans aucun doute le seul domaine où ma sœur est le mouton noir de la famille! Tous les autres Marcotte prenaient un malin plaisir à lécher la spatule couverte de préparation à gâteau, à se servir des grosses portions de dessert (et à en redemander!), à manger du Nutella à la cuillère ou à engouffrer le chocolat de Pâques en une journée. Mais pas ma sœur. Elle avait dû hériter d'un petit gène égaré provenant d'un arrière-arrière-grand-parent étrange...

Ma sœur avait sa technique personnelle, que j'appelle la «technique du tiroir à bobettes». Lorsqu'elle recevait des gâteries – à Pâques, à Noël, même les bonbons que maman rapportait parfois de l'épicerie –, elle rationnait le tout et cachait ses rations dans le premier tiroir du haut de sa commode, celui des sous-vêtements. Pourquoi celui-là en particulier? Je me le suis toujours demandé. Peut-être avait-elle l'impression que c'était la cachette idéale. Que les sous-vêtements en faisaient un lieu sacré où personne n'oserait fouiller. Ou alors espérait-elle donner une odeur sucrée à ses sous-vêtements ?

Quoi qu'il en soit, Pâques était le meilleur exemple de son rationnement sans faille. Elle sortait son lapin de un kilo, en prenait une demi-bouchée et le replaçait sans tourment dans son tiroir. Elle en avait eu assez pour la journée. INCROYABLE! Encore aujourd'hui, j'aime bien me moquer d'elle quand vient l'heure du dessert. Je lui lance à la blague :

– As-tu très faim ? Est-ce que je te donne le quart du quart ou le huitième d'un demi-morceau ?

Ces moments me plaisent parce que, pour une fois, c'est elle qui est différente et je fais partie de la majorité. J'ai alors une preuve que je fais bien partie de cette famille, merveilleuse, mais si différente de moi.

Moi aussi, j'ai attrapé quelques gènes rares et étranges que les autres membres de ma famille n'ont pas. Je dépense sans trop de scrupule, alors que chez moi, on économise, on découpe les coupons et on attend les aubaines. Enfants, nous avions tous une tirelire que nous vidions annuellement, en janvier, pour déposer son précieux contenu dans notre compte en banque. Aucun de mes amis ne faisait ça. La plupart n'avaient même pas de compte en banque! Nous recevions un dollar d'allocation par semaine, que mon frère et ma sœur déposaient religieusement dans leur tirelire. Une ou deux fois par année, ils faisaient une grande folie : ils m'accompagnaient au dépanneur pour acheter une gomme Bazooka ou quelques jujubes. Moi, j'y allais chaque semaine! Je dépensais la moitié de mon allocation et mettais l'autre dans ma tirelire. Lorsque monsieur mon père, le comptable, vérifiait nos avoirs à tour de rôle, j'étais bonne dernière. Ma sœur était toujours en tête. Et non seulement avait-elle le montant le plus élevé, mais il lui restait en plus du chocolat de Pâques dans son tiroir à bobettes! Grrrr! Mon petit frère me battait aussi à plate couture...

Personnellement, j'étais satisfaite de mes économies, mais je sentais ma famille inquiète. Julie allait-elle pouvoir se débrouiller financièrement une fois adulte ? Pourquoi était-elle incapable, année après année, d'économiser autant que les autres ? Je n'avais pas de réponse, mais je savais que l'une de mes amies gagnait sept dollars par semaine et qu'elle n'avait même pas de tirelire. Elle dépensait tout. La plupart de mes camarades de classe n'avaient pas non plus de compte en banque. Pourquoi aurais-je dû me sentir coupable de mes folles dépenses de cinquante cents par semaine ? En vieillissant, j'ai constaté que j'étais plutôt économe par rapport aux gens de mon entourage. J'en ai déduit que ma famille était somme toute un peu excessive en ce qui concernait la gestion des avoirs !

Mais revenons-en à mes petites histoires d'embonpoint...

Aujourd'hui, trentenaire et maman trois fois, j'ai dix kilos en trop. Rien d'extraordinaire pour une femme qui n'a plus vingt ans et qui a eu plusieurs enfants ! Il m'arrive même de me trouver franchement « pas si pire » pour une FDMM (fille déformée par de multiples maternités). Mais dix kilos en trop à l'âge de quinze ans, ça se vit moins bien.

J'ai vécu mon adolescence dans les années quatre-vingt-dix. L'époque des grands t-shirts et des chemises à carreaux de « mononque ». Comme plusieurs, j'ai cru à tort que les vêtements amples avaient le pouvoir de cacher les rondeurs. « Si je flotte dans mon linge, c'est que je ne suis certainement pas si grosse que ça, bon ! » me disais-je. Stacey

London[3] aurait été scandalisée par mon raisonnement, elle qui adore dire à ses clientes :

– Tu t'habilles comme de la merde ! Jette tous tes vêtements et viens avec moi, je vais te refaire une garde-robe !

Mais où était-elle lorsque je sortais de chez moi avec le haut de pyjama de mon père et des jeans quatre fois ma taille ? J'aurais bien aimé la voir apparaître !

À cette époque, je portais la taille douze. Rien de dramatique, mais j'étais persuadée que je ne pourrais trouver de quoi me vêtir dans les magasins « normaux ». À cette époque, on n'y connaissait rien, et pour plusieurs d'entre nous, nos parents magasinaient encore nos vêtements. On n'était pas des experts de la mode comme les jeunes le sont maintenant !

Tout de même, si j'avais eu moins peur des miroirs et des salles d'essayage, j'aurais pu entrer dans un commerce digne de ce nom et essayer de me mettre davantage en valeur. À la place, nous nous retrouvions, mes amies et moi,

3. Animatrice de l'émission *What Not to Wear*, sur TLC.

au Village des Valeurs et dans différentes friperies. Taïka était toute mince et menue, alors tout lui allait bien. Elle pouvait porter des chemises de style *babydoll* et des vêtements rétro colorés. Pour ma part, je magasinais dans le rayon pour hommes et celui des vêtements de maternité... Vous auriez dû voir les pantalons bruns et les vestons à épaulettes que je dénichais! Lorsque mon bel Adonis part jouer au hockey le lundi soir, il porte parfois un grand chandail bleu. Eh bien, croyez-le ou non, c'est moi qui l'ai acheté ET porté au secondaire. Il est toujours stupéfait quand il y pense... et moi aussi!

Outre les friperies, j'aimais bien aller à la campagne pour fouiller dans la garde-robe de ma grand-mère. J'y trouvais de vieilles robes et je les coupais moi-même pour en faire des chemises asymétriques. De toute beauté. Ma mère était au désespoir. Ma grand-mère, elle, était fière de voir que ses vieux vêtements avaient encore la cote! Une fois (une seule), j'ai même poussé l'audace au point de prendre un morceau appartenant à mon grand-père. Une vieille combinaison avec un panneau à l'arrière, pour éviter d'avoir à tout enlever quand on va aux toilettes. Je ne pouvais pas trouver plus original comme pyjama! Malheureusement, c'était aussi le plus laid. Mais tout ce qui pouvait attirer l'attention ailleurs que sur mon poids, beau ou laid, était un avantage à mes yeux.

Aux prémices de mon adolescence, je me suis retrouvée au cabinet du médecin, souffrant d'étranges maux de ventre. Ils apparaissaient avant chaque repas, et parfois au réveil ou au milieu de l'avant-midi. On me fit alors une série de tests afin de trouver la cause de ces maux. Rien. Tout semblait normal.

C'est notre bon vieux médecin de famille qui, par hasard, finit par mettre le doigt sur mon trouble. Ce jour-là, il me demanda de monter sur le pèse-personne. La terreur s'empara aussitôt de moi. Je ne révélais jamais combien je pesais! J'avais même déjà refusé de dévoiler cette information dans le cadre d'un travail scolaire, ce qui m'avait coûté des points. J'étais donc convaincue que mon médecin allait me démasquer. Me croyant futée, je décidai de prendre appui sur le comptoir en montant sur le terrifiant appareil. Mais on ne dupe pas aussi facilement un médecin d'expérience! Un peu surpris de ma tactique peu subtile, il prit ma mère à part et lui expliqua son diagnostic final.

– Je ne crois pas que ce soit d'ordre physique. Ce serait plutôt psychologique.

Mes maux de ventre étaient provoqués par le stress qui, lui, avait pris naissance dans mes complexes. À quinze ans, on n'a pas encore connu le stress! Ce fut notre première rencontre. Aujourd'hui, je le vois venir depuis des kilomètres... L'estomac serré, le cœur qui bat pour rien, la gorge nouée.

J'aurais tellement aimé vivre dans un monde sans miroir. Un monde où l'apparence aurait été sans importance. Malheureusement, ce monde n'a jamais existé et il n'est pas sur le point d'être inventé.

Comme plusieurs adolescentes rondelettes, j'ai misé sur d'autres atouts pour parvenir à me valoriser et à trouver ma place au secondaire. J'étais le boute-en-train, la mascotte, la présidente de classe et la bouffonne du groupe. Pas étonnant que tant de gros soient drôles! Si tu n'es ni mince ni drôle, tu es dans le pétrin de nos jours. Heureusement pour moi, j'ai su faire rire, et c'est sans doute ce qui m'a sauvée, ce qui m'a permis d'avoir une certaine confiance en moi. Ça et mes excellents résultats en classe. J'étais dodue, drôle et intelligente, mais pas paresseuse.

Il y a quelques années, mon bel Adonis et moi avons eu quelques discussions musclées quand il lui est arrivé de faire des commentaires à l'endroit de filles rondes qu'il voyait dans la rue. Le plus classique était :

– Bon sang, elle s'est laissée aller !

Je sais que ce n'était pas bien méchant. Plusieurs auraient dit pire. Ce qui me faisait réagir, c'était la peur qu'il puisse penser que, moi aussi, je m'étais « laissée aller »... Que je méritais mes quelques rondeurs. J'avais peur qu'il me croie lâche et sans volonté. Je suis furieuse contre cette idée préconçue que les rondes sont *toutes* paresseuses et gourmandes. Est-ce que toutes les minces sont sportives et en bonne santé ?! NON ! J'en connais plusieurs qui mangent comme deux et ne font aucun sport. Par je ne sais quel miracle de leur métabolisme, elles n'ont pas à subir les conséquences de leur style de vie. Et personne ne porte de jugement à leur endroit parce qu'elles paraissent bien. Qui dirait qu'elles se laissent aller, même si en réalité c'est exactement ce qu'elles font ?

Je connais aussi des femmes bien portantes qui mangent bien et sont actives, sans résultat sur leur apparence. Je crois même pouvoir dire que j'en fais partie. Je ne suis pas une adepte du divan et j'ai délaissé depuis longtemps les gâteaux

Vachon. Au secondaire, je me suis jointe à l'équipe de basket de l'école. Pas par amour pour ce sport (je ne connaissais aucun joueur professionnel à part Michael Jordan), ni pour être avec mes amies (la plupart ont déserté l'équipe après un ou deux entraînements), et encore moins pour exploiter un talent (j'étais vraiment nulle... j'ai même déjà compté dans mon propre panier!). Je l'ai fait pour le plaisir de courir partout, de me dépasser, de sortir du gym trempée et satisfaite. Je préférais de loin les entraînements aux matchs, parce qu'ils étaient plus exigeants pour moi que les parties pendant lesquelles, vous le comprendrez, j'étais souvent assise sur le banc. N'ayant pas beaucoup d'orgueil, j'ai persévéré et j'ai fini par être une joueuse «correcte». Au moins, à la fin, je n'étais plus une nuisance pour mes coéquipiers!

Au cégep, je me suis vite aperçue que j'étais accro à l'activité physique. Mais mes chances de faire partie d'une équipe de sport collégiale étaient... franchement nulles! Alors j'ai dû trouver autre chose. La recherche fut longue et laborieuse. Les filles étant ce qu'elles sont, il est difficile d'organiser des sports d'équipe entre nous. Un gars n'a qu'à dire «Basket, huit heures, chez nous» à la cafétéria et il est assuré d'avoir tous les joueurs qu'il lui faut. Mais les filles, les filles... Pfff! Elles se disent intéressées, elles hésitent, elles changent d'idée quatre fois puis se perdent en chemin. Bref, je n'ai jamais réussi, même après plusieurs tentatives, à trouver des partenaires de sport vraiment motivées.

J'ai donc abouti chez Énergie Cardio il y a de cela dix ans maintenant, satisfaite de ce que ma dose d'exercice quotidienne ne dépende plus des autres. Adepte des cours de cardio militaire et de Tae Box, j'en suis deux par semaine et je suis la plus fidèle des abonnées. Dans ma légendaire maladresse, je suis celle qui tombe de son step et échappe ses poids, mais aussi celle qui est toujours au rendez-vous, tempête de neige ou pas, trente-cinq degrés sous zéro ou quarante au-dessus. Certaines de mes amies me trouvent étrange quand je refuse une sortie entre filles pour aller au gym. D'autres me félicitent; j'en ai vu je ne sais combien s'inscrire, venir quelques mois et abandonner. Même si les félicitations me font du bien, je ne les mérite pas vraiment: j'ai besoin de l'activité physique. Pour la santé de mon couple, particulièrement. Si je ne peux pas expulser le «méchant» dans le gymnase, il s'accumule dans mon cerveau et rejaillit, sans avertissement, sur mon pauvre Adonis. J'ai donc tout intérêt à y aller!

Je ne supporte pas qu'on me croie paresseuse à cause de ces quelques bourrelets qui s'accrochent à moi tels des parasites visqueux. Je ne sais pas pourquoi ils restent... Peut-être est-ce dû aux céréales que j'aime manger le soir. Peut-être sont-ils là parce que je n'ai jamais compté mes calories ni séparé les lipides du sucre, comme le préconise la méthode Montignac. J'ai choisi de vivre sainement, à ma façon. Je privilégie les fibres et les protéines, et je m'assure de retrouver les quatre groupes alimentaires dans mon assiette. Je me sais en bonne santé. Il ne me reste plus qu'à assumer ces rondeurs dont la nature m'a dotée.

Après mes grossesses, bien déterminée à perdre le surplus de poids qu'elles m'avaient légué, je me suis entraînée trois à quatre fois par semaine pendant toute la durée de mes congés de maternité. Je me suis aussi privée plus que jamais de sucre et autres gâteries. Pourtant, je perdais du poids au compte-gouttes. Un gros kilo par mois, pas plus. Mais je savais que la clé était la persévérance et que, même à ce rythme, je finirais par en venir à bout. Imaginez ma frustration quand ma belle-sœur arriva à la maison, un samedi, avec une toute nouvelle silhouette digne des magazines. Elle qui était déjà canon, là, elle était franchement époustouflante! Bien sûr, je lui posai la question qui me brûlait les lèvres:

– Tu as perdu du poids, non? Comment as-tu fait?

– J'ai commencé à m'entraîner, répondit-elle.

Je me défonçais pendant quatre séances par semaine et ne perdais que quelques grammes chaque fois. Je me suis dit qu'elle devait s'entraîner tous les jours ou presque, pour avoir obtenu de pareils résultats en si peu de temps! C'est alors qu'elle enchaîna:

– Je m'entraîne les samedis matin depuis six semaines.

PARDON!?! Une fois par semaine?! Sur le coup, j'en ai voulu à mes ancêtres et à mon métabolisme de merde qui m'obligeait à en faire quatre fois plus que les autres pour arriver à des résultats. Et puis je me suis rappelé que je ne suis pas la seule dans cette situation. Nous sommes nombreuses à devoir fournir plus d'efforts.

Comme plusieurs femmes en chair qui tentent de trouver leur place dans ce monde où les ventres plats sont vénérés, j'aimerais pouvoir porter un écriteau qui dirait que je ne passe pas ma vie au McDo. Que je bouge! J'aimerais que l'on sache que je cuisine santé. J'aimerais avoir le courage de manger du chocolat au grand jour sans craindre les jugements... Moi qui lui résiste si souvent, à mon ami le cacao!

Si j'avais hérité du gène de ma sœur, je me dis que ma vie n'aurait pas été la même. J'aurais peut-être été trop confiante. J'aurais eu plein d'amoureux. Grâce à ma minceur, j'aurais accompli des performances sportives remarquables, je me serais retrouvée dans un programme sport-études et j'aurais perdu mon bel Adonis de vue. J'aurais fait carrière dans le domaine du *fitness* et je serais devenue stérile à force de m'entraîner. Je n'aurais pas visité les friperies et n'aurais pas eu ce côté coloré sur toutes mes (horribles) photos d'adolescente, qui me font tant rire aujourd'hui.

Visiblement, j'étais destinée à autre chose. Et je n'échangerais pas ma vie pour dix kilos en moins. C'est la mienne, celle dans laquelle je suis ronde et – je commence à le comprendre – belle malgré tout.

Quand je regarde ma fille de six ans, il m'arrive de me demander de quelle génétique elle a hérité. Est-ce qu'elle aura cette silhouette menue propre à la famille de son père? Ou alors elle aura celle de sa mère et de sa grand-mère, et devra apprendre à vivre avec des kilos en trop, avec l'angoisse du regard des autres, mais surtout, je le souhaite, avec acceptation. Dans un cas ou dans l'autre, l'important c'est qu'elle soit consciente de sa valeur, peu importe la taille de son pantalon, et qu'elle ne l'oublie jamais. Je lui souhaite de rencontrer un homme qui, comme son papa l'a fait pour moi, saura la faire sentir belle et spéciale. À dix-neuf ans, j'ai vu pour la première fois dans les yeux de mon Adonis que je pouvais être belle. Que les rondeurs ne sont pas toutes indésirables. Il m'a aimée sans se demander combien de kilos j'avais en trop. Il m'a aimée comme une femme, quelle que soit son apparence, mérite de l'être. C'est ce que je souhaite pour ma petite fille, ma précieuse, ma toute belle.

# Gagner sa croûte

Je suis debout, j'applaudis
Je quémande un rappel
Encore de cette eau qui me soûle
Encore de ce sol qui me foule
Encore de ces larmes pour contraster le jour
Encore de ces peurs pour confronter l'amour

Je ne suis pas une personne ambitieuse. Je ne l'ai jamais été. Attention! Ne confondons pas ambition et détermination: je suis très déterminée (voire entêtée) lorsque quelque chose me tient à cœur. Mais je ne suis pas de celles qui en veulent toujours plus. Je les admire pourtant, ces personnes toujours pleines de fougue qui en redemandent constamment, ces gens qui vont d'un projet à l'autre et qui semblent n'être jamais à bout de souffle.

Du haut de mes trente ans, je dois admettre que je me contente généralement de peu. Je ne vois pas pourquoi je payerais une bouteille de vin quarante dollars alors que ma petite bouteille de C'est la vie, à onze dollars, me satisfait pleinement. Je ne saurais pas apprécier la différence. Idem pour l'endroit où j'habite: mon petit jumelé, confortable et coquet, me suffit.

Sans mon Adonis pour nous mettre à jour côté technologie, je n'aurais jamais fait le saut vers une télévision quarante pouces HD, ni même vers un téléphone intelligent. Assise devant mon dinosaure cathodique non câblé, j'étais tout à fait heureuse. Mais c'est dans ces moments-là que mon chéri, récalcitrant à l'idée de faire rire de notre mode de vie archaïque, s'approche avec un petit air innocent, comme s'il avait tout bonnement «envie de jaser». Il s'installe à mes côtés et y va d'un:

– Ma chérie...

À son ton solennel, qu'il voudrait léger, je sais tout de suite qu'il va essayer de me convaincre d'acheter une nouvelle bébelle. Commence alors le «voici comment ta vie pourrait être meilleure si...». Si Internet était plus rapide, si tu avais une station d'accueil pour ton iPod, un chargeur portatif, un téléphone intelligent, un enregistreur numérique, un disque dur externe... Il a même essayé de me faire croire que je voulais une console Wii plus que tout! À l'entendre, il arrive toujours à trouver le *deal* du siècle. Comme si chaque nouvel achat allait se mettre à cracher des billets verts! Je le laisse donc me moderniser un peu, car à mes yeux, ces gadgets ne méritent pas qu'on se dispute.

En ce qui concerne mes ambitions salariales, ça se résume ainsi: ne pas avoir à penser à l'argent. Si je peux en gagner suffisamment pour subvenir à mes besoins sans calculer, réfléchir et angoisser, si je peux me payer du bon temps avec mes enfants sans casse-tête, alors je suis plus que satisfaite.

Vous comprendrez donc que choisir une carrière n'a jamais été pour moi une question d'ambition. C'était plutôt une question de sens. J'avais besoin d'une profession «importante», humainement parlant. J'aurais difficilement supporté un emploi où l'objectif aurait été de faire un maximum de profits, pour une compagnie ou pour moi-même. Comme je réussissais bien à l'école, toutes les options s'offraient à moi. Pourtant, la voie que j'ai choisie n'est ni payante ni facile, et encore moins prestigieuse… mais elle me ressemble! J'adore parler, communiquer, expliquer, raconter, surtout lorsque la possibilité d'avoir un impact significatif sur quelqu'un existe.

Au départ, je me suis inscrite au programme Sciences, lettres et arts au cégep, avec l'idée de me laisser du temps pour me décider sans restreindre mes options. À mi-chemin de mon parcours, un soir d'avril, j'étais en train d'étudier sur mon perron en vue d'un examen de biologie. Cette matière était clairement la science pure que je préférais, sans doute parce qu'elle était plus concrète et plus proche de l'homme qu'aucune autre. Et aussi parce qu'elle n'impliquait pas de formules toutes faites qu'on applique sans les comprendre.

Mon voisin d'en face, assez volubile et de dix ans mon cadet, décida de venir fouiner de mon côté.

– Qu'est-ce que tu fais? me demanda-t-il d'une voix criarde.

– J'étudie.

– Tu étudies quoi?

Je fus tentée de lui répondre «la biologie», mais je décidai de vulgariser un peu.

– J'apprends comment fonctionne notre corps.

Il me regarda avec un air curieux, et ce fut suffisant pour que je sois tentée de lui en dire plus :

– Tu vois ce livre ? Il explique plein de choses sur la manière dont ton corps est fait. As-tu déjà eu un point au ventre en faisant du sport ?

– Oui, des fois…

– Tu veux savoir pourquoi ?

– C'est écrit dans ton livre ?

Il semblait emballé et clairement décidé à en savoir plus. Je me lançai donc dans une belle vulgarisation du phénomène, avec des mots d'enfant, et je me suis aussitôt sentie investie d'une mission : m'assurer qu'il me comprenait bien.

Lorsque j'eus terminé, il en redemanda. J'entrepris donc de lui expliquer quelques principes de génétique. Quelle ne fut pas ma joie, quelques minutes plus tard, de l'entendre dire à son copain :

– Hé, Alex! Sais-tu pourquoi on a des points, des fois, quand on court?

Il se mit alors à lui expliquer à son tour, et avec brio, tout ce que je venais de lui transmettre.

C'est le moment précis où j'ai choisi de devenir enseignante.

Cette expérience simple, qui consiste à livrer une connaissance à quelqu'un, était grisante. Transformer l'information, l'interpréter, la reformuler pour qu'un autre la reçoive, la comprenne et la partage à son tour, cela me semblait avoir beaucoup d'importance. J'avais trouvé ma voie... mais il me restait encore plusieurs années d'études devant moi.

Et qui dit études dit emploi à temps partiel. Je n'ai jamais aimé dépendre de qui que ce soit, et travailler me donnait un minimum d'indépendance. Je peux affirmer que j'ai commencé au bas de l'échelle... Le bas de l'échelle pour un gars, c'est être livreur de journaux. Pour une fille, c'est le gardiennage.

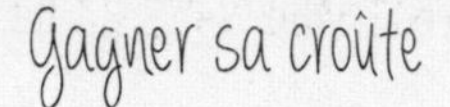

J'étais une très bonne gardienne, à ce qu'on me disait. Je ne suis pas de celles qui croient que «tout leur est dû», mentalité fort répandue aujourd'hui. Je suis plutôt de celles qui ne peuvent pas relaxer sans avoir fourni un effort au préalable. À mes yeux, un divan est un meuble qui a des heures d'ouverture; on ne peut s'y asseoir qu'à partir de seize heures. Après le travail, l'effort et la dépense d'énergie.

Lorsque quelqu'un me faisait l'honneur de me rémunérer pour que je garde ses enfants, je voulais sentir que j'avais mérité ma paye. Je n'étais donc pas très à l'aise avec les contrats où les enfants étaient déjà au lit à mon arrivée. C'était trop facile. J'avais l'impression d'arnaquer les gens lorsque je repartais avec leurs dix dollars en poche!

Je me faisais un devoir de divertir les jeunes à tout prix. Ainsi, je me pliais à toutes leurs fantaisies. Et à mon plus grand désespoir, les enfants que je gardais le plus souvent adoraient les jeux de rôles! Chaque fois, ils m'attribuaient un personnage que je devais incarner toute la journée. J'ai donc été une ballerine, un monstre, tous les animaux imaginables et même... une boule de quille! Ils me poussaient et je devais rouler jusqu'à ce que je me fracasse sur différents objets qui faisaient office de quilles. J'ai bien tenté de les convaincre de changer de jeu, mais ils y tenaient mordicus. À la fin de la journée, je réclamais donc ma paye sans remords, convaincue de l'avoir amplement méritée!

Avec du recul, je crois que plusieurs de mes séances de gardiennage auraient mérité un petit supplément. Ce fut le cas de mon tout premier contrat, où j'ai dû m'occuper de deux fillettes placées dans une famille d'accueil. Leur tutrice m'avait avertie qu'elles ne me feraient pas la vie facile... J'ai donc mis les pieds chez eux avec beaucoup d'angoisse. Pour ajouter au stress, la dernière chose que la femme me lança avant de quitter les lieux fut:

– Pour dîner, tu n'as qu'à faire un pâté chinois, c'est facile.

Rien de moins!?! Quelle préado de onze ans fait *facilement* un pâté chinois sans recette? Un sandwich, ça, c'était à ma portée... J'ai appelé ma mère, compétente en pâté chinois, et elle a su me guider. Mais en fin de compte, le dîner fut le dernier de mes soucis ce jour-là... Les gamines étaient de véritables monstres. Avec mon regard d'adulte, je sais aujourd'hui qu'elles étaient malmenées par la vie, que leur quotidien était instable, rempli d'insécurité et qu'elles n'avaient pas eu droit à la surdose d'innocence que j'ai moi-même reçue. Reste que, lors de ce premier contact, elles m'apparurent comme de vraies diablesses! Je me suis même retrouvée à cogner chez la voisine parce que ces charmantes demoiselles avaient cru bon m'embarrer dehors. Et dire que j'avais craint de ne pas mériter mon deux dollars l'heure!

J'aurais pris volontiers une prime compensatoire, surtout lorsque j'ai entendu l'une des petites dire à son amie:

– Je te l'avais dit qu'elle était grosse et qu'elle avait les cheveux comme du vomi, hein?

Une autre expérience de gardiennage me marqua profondément. J'avais un contrat à long terme avec une famille où j'ai gardé une fin de semaine sur deux pendant quelques années. Un copain du jeune garçon venait souvent jouer à la maison. Un adorable garçon qui prenait ma place dans les jeux de rôles. J'en étais ravie! Jusqu'au jour où il ne vint plus. Pas parce qu'il y avait eu une dispute entre amis. Pas parce qu'il avait déménagé. Pas parce qu'il avait des cours de soccer le samedi. Non. Parce que son papa l'avait tué. Son papa, celui qui lui avait donné la vie, la lui avait aussi enlevée.

J'avais quatorze ans. Je n'avais pas imaginé jusqu'alors qu'une telle chose soit possible. J'ai été fortement secouée par l'événement. Je pensais à mon propre père et je n'arrivais pas à comprendre. J'avais trop peu vécu pour me figurer le malheur, le désespoir, la maladie mentale, la dépression. Je repassais sans cesse dans ma tête le film de ce papa tuant son garçon... et ça n'avait aucun sens. Ça n'en a toujours pas, d'ailleurs. Et pourtant, de tels drames se produisent encore bien trop souvent...

En cinquième secondaire, j'ai commencé à considérer l'idée de trouver un vrai travail. J'ai débuté ma «grande carrière» dans une sandwicherie, rue Cartier, à Québec. Les gens pensent souvent à tort qu'il est plus facile de travailler dans de petites entreprises. Ce qu'ils oublient, c'est que cela implique qu'il y a peu d'employés et, donc, que tout le travail revient souvent à une personne. La plupart du temps seule pour tenir les lieux, je devais faire les sandwichs, les cafés, les déjeuners, m'occuper du service, de l'entretien ménager, de la rotation des produits et de la caisse, ramasser et nettoyer la vaisselle, passer les commandes, sortir les poubelles, etc. Ah oui, j'oubliais! Pour être certain qu'il ne nous payait pas à rien faire, le patron nous demandait de cuisiner du sucre à la crème pendant nos temps libres. Toute innocente et zélée que j'étais, je travaillais mes huit heures par jour en ne m'arrêtant que quinze minutes pour manger au comptoir. Il n'a jamais été question de pauses, de vacances ou de 4 %...

Jusqu'au jour où, après deux ans de loyaux services, j'ai eu le culot de tomber malade. Une vraie grippe de femme! J'ai manqué une semaine de cours, parce que la fièvre m'empêchait de tenir sur mes pattes. J'étais pétrifiée à l'idée de manquer le travail, et la réaction de mon patron me donna raison. Après m'avoir raccroché au nez, il s'est hâté d'engager une nouvelle employée et de lui refiler les trois quarts de mes heures de travail. Je trouve répugnant que certains patrons abusent ainsi de leur pouvoir. Ils savent que leurs jeunes employés de seize, dix-sept ans ne sont pas au courant de leurs droits au travail. Désemparée, j'ai mis mon père sur le dossier. Puisque nous étions dans l'incapacité de régler les choses amicalement, les Normes du travail sont intervenues et mon patron a été forcé de me redonner ma place. Je n'ai pas tardé à quitter les lieux, toutefois, car l'ambiance teintée de rancune y était devenue insoutenable.

J'ai alors entrepris une brève carrière de vendeuse de maïs soufflé au cinéma, pour ensuite devenir... charcutière. Le métier le plus puant du monde, je vous le dis par expérience!

Lorsque je rentrais à la maison, j'entraînais dans mon sillage des odeurs de *baloney*, de fromage bleu et de pâté de foie. J'aurais aisément gagné une compétition de puanteur avec un éboueur! Là aussi, je travaillais dur, mais j'ai aimé être charcutière. Pas parce que j'aimais mettre chaque jour mes doigts en péril en manipulant le trancheur, ni parce que j'éprouvais une quelconque passion pour les viandes froides (cela dit, sachez qu'elles sont cent fois meilleures lorsqu'on vient de les trancher!). Non. J'ai aimé être charcutière grâce à mes collègues, des gens uniques auxquels je me suis bien vite attachée.

Il y avait le boucher. Un sacré bonhomme qui parlait à tout coup du temps qui fait dehors et de ce que sa petite femme avait mis dans sa boîte à lunch. Bedonnant, il mangeait chaque jour des chips au vinaigre qu'il trempait préalablement... dans le vinaigre! Il travaillait avec un typique « homme à femmes » qui bavait devant chaque paire de jambes. Juste le son de talons hauts sur le parquet le faisait frétiller. Il y avait aussi la boulangère sans censure, qui nous racontait tous les épisodes de sa vie, y compris les plus sombres et les plus croustillants! Et que dire de ma collègue charcutière, spécialiste des discussions profondes, branchée sur son moi intérieur vingt-quatre heures sur vingt-quatre... Elle était rafraîchissante et tellement vraie!

Comme je ne passe plus souvent faire mon tour, mes anciens collègues croient probablement que je les ai oubliés. Mais ils ont tort, je pense à eux régulièrement et avec beaucoup d'affection.

Malgré tant de détours, la profession qui m'était destinée était bel et bien l'éducation. À mon avis, l'enseignement est d'abord une vocation. À mes débuts, en me voyant me démener pour mes élèves et parler d'eux avec passion, un de mes amis m'a mise en garde en me disant:

– Fais attention, Julie, les enseignants en épuisement professionnel sont ceux qui font l'erreur d'aimer leurs élèves. Tu dois enseigner avec ta tête, ne pas t'investir émotivement. Sans quoi, le *burnout* est assuré.

Perplexe devant sa remarque, j'ai tout de même eu la prudence de la placer en réserve, quelque part dans mon cerveau, et de mettre la pédale douce sur mon attachement. Je dois admettre que mon investissement émotif était excessif au début, mais ma première classe était particulière.

Plusieurs enfants fortement hypothéqués par la vie. Un enfant adopté, anxieux, qui peinait à rester dans la classe. Un autre, ayant subi plusieurs abandons, qui commença l'année presque muet, renfermé, mais qui, à force d'être entouré, aimé, valorisé, finit par s'ouvrir tranquillement. Il termina l'année agrippé à moi, me déclarant sans retenue son affection à coup de «Je t'aime, madame Marcotte, je t'aime tellement!» Comment ne pas s'attacher?

Un autre de mes élèves souffrait de nombreux traumatismes. Parfois, il se mettait subitement à crier en classe et il avait de la difficulté à faire seul ses besoins. Il y avait aussi un charmant immigrant, plein d'énergie, dont les parents débordés auraient aimé me confier l'éducation à temps complet. Quant à son voisin de pupitre, un fils de paysan, il se réveillait chaque matin à l'heure du train et finissait la journée... endormi sur son pupitre!

Chacun de ces enfants était unique et beau. Chacun avait ses secrets, ses blessures, ses angoisses et ses idées à lui. Avec toute mon inexpérience, j'ai mis beaucoup d'ardeur à mener cette classe à bon port. J'avais le zèle d'une débutante et une passion toute fraîche pour mon métier. Je me suis souvent retrouvée dans des situations impossibles, j'ai géré plusieurs crises, distribué sans retenue des câlins et passé nombre de soirées la tête dans mes livres, à préparer des activités visuelles, drôles et inspirantes. Fort heureusement, ces premiers élèves ont pris goût à l'école, ils ont tous appris à lire, à écrire, à compter et, surtout, ils se sont sentis aimés et valorisés dans ma classe. Pour moi, c'était mission accomplie.

Dites-moi, comment en arrive-t-on à de tels résultats sans s'impliquer émotivement ? Pour ma part, j'y suis parvenue parce que j'y ai mis tout mon cœur et que j'ai aimé ces enfants sans demi-mesure.

J'enseigne maintenant depuis près d'une décennie et je dois admettre que, par moments, je me suis demandé si mon ami avait eu raison, si mon investissement émotif n'allait pas venir à bout de mon énergie. Il m'est arrivé de prendre un peu de recul et d'être moins généreuse envers mes élèves, surtout après avoir eu mes propres enfants. Aujourd'hui, je ne travaille plus tous les soirs, je suis moins zélée qu'à mes débuts. Mais les conclusions que je tire de mes années d'expérience ne lui donnent pas raison.

Bien sûr, on s'use plus vite à force d'aimer autant. Bien sûr, les nuits sont plus courtes quand on se préoccupe de la vie de vingt-cinq enfants de six ans. Par contre, l'amour est nécessaire pour supporter les irritants qu'implique aussi le fait d'être responsable, chaque jour, de ces mêmes vingt-cinq enfants! Sans amour, qui tolérerait les petits doigts pointus qui vous tapent sur l'épaule sans arrêt? Qui décoincerait toutes ces fermetures éclair de manteaux usés? Qui répéterait toujours les mêmes consignes, deux cent quatre-vingts jours par année? Sans une sincère et profonde affection, qui continuerait de croire en cet enfant colérique qui lui lance des chaises par la tête, ou en cet élève qui le défie et l'injurie? Qui endurerait le discours des parents offusqués, inconscients du contexte de classe exigeant dans lequel nous travaillons, nous, les enseignants? Sans un réel attachement, comment survivre à la sursollicitation de tous ces enfants qui nous réclament à grands cris toute la journée?

En première année, les enfants doivent apprendre la gestion d'un bureau et de leur matériel. Pendant un certain temps, il est donc impossible d'entreprendre un travail en classe dans un délai inférieur à vingt minutes. Parce que William a perdu son crayon, que Sara pense que le voisin lui a pris sa gomme à effacer, qu'Amy ne sait pas se servir de son aiguisoir, que Félix est dans la lune, que Jérémie a fait pipi dans son pantalon, que Léa est déconcentrée par l'araignée qui joue sur la vitre de la fenêtre, que Léon s'ennuie de son papa, que Carlos a renversé sa collation sur son cahier, que Mireille ne savait pas qu'il fallait écouter les consignes, qu'André a faim et rêve d'un hamburger, que Victor a envie de nous parler de son chien, etc. Il faut une patience inqualifiable pour traverser ces trois premiers mois. Et aussi, je vous le garantis, beaucoup d'amour. Sans cela, peut-être que ces enfants finiront par savoir lire et compter, mais ils ne seront pas de meilleurs êtres humains.

Un ton désintéressé ou une remarque sèche résultant de l'impatience peuvent les persuader qu'ils ne sont pas à la hauteur des défis qui les attendent. Le moteur de l'apprentissage, c'est la confiance. Les enfants doivent sentir que les adultes leur font confiance et en venir à croire, de façon inconditionnelle, en leurs propres capacités à apprendre.

Même si je le voulais, je ne pourrais pas à la fois suivre le conseil de cet ami et être l'enseignante que je veux être. Il me faut donc compenser en prenant soin de ventiler, de communiquer, et de m'entourer de gens compréhensifs et aidants à l'extérieur de l'école. Ce qui est salutaire dans tout cela? L'amour spontané que les enfants nous accordent en retour. Ils nous aiment et nous admirent sans condition. Chacune de nos paroles est une vérité absolue et tout ce que nous touchons vaut de l'or à leurs yeux. Ils remplissent nos vies de leurs anecdotes cocasses, de leurs couleurs et de leur franchise désarmante. Ils nous inventent un monde nouveau et s'émerveillent de chacune de nos histoires. Les voir réussir à la fin de l'année scolaire, fiers et grandis, est ce qui nous donne la force de continuer.

Plus le temps passe, moins j'ai peur de les aimer. Même si je sais qu'à la fin de chaque année je devrai les laisser partir. Pendant qu'ils sont avec moi, ils sont MES élèves et je les aime. Je me permets de rire avec eux, d'avoir de la peine pour eux. Il y a quelques années, un de mes élèves a dû être retiré temporairement de chez lui, car sa maman était aux prises avec des problèmes de santé mentale. Complètement désemparé, il arrivait en classe tout à l'envers. Dans ces moments-là, il aimait s'asseoir sur ma petite chaise berçante plutôt qu'à son bureau. Les matins plus difficiles, il me demandait :

– Madame Marcotte, est-ce qu'on peut mettre ma chanson ?

Sans hésiter, j'allais chercher son CD préféré et, tous ensemble, nous écoutions cette douce mélodie qui lui faisait du bien. Toute la classe était alors remplie d'amour et d'empathie pour ce camarade qui vivait l'indescriptible. De son côté, il sentait qu'il pouvait compter sur nous. Il savait que lorsqu'il arriverait à l'école, il trouverait un milieu stable et sécurisant, une chaise berçante, une musique réconfortante et beaucoup, beaucoup d'amour.

Lorsqu'une autre de mes élèves, atteinte d'un glaucome qui menaçait de la rendre aveugle, revenait en classe après chaque intervention aux yeux, nous étions une vingtaine à attendre de ses nouvelles, à nous inquiéter pour elle, à l'encourager. Un matin particulièrement difficile où elle venait d'apprendre l'échec d'une opération, elle a craqué dans mes bras. Un de ses rares moments de découragement... Devant cette petite battante qui s'effondrait, j'ai craqué à mon tour et j'ai pleuré avec elle. J'avais toujours évité de pleurer devant mes élèves, mais pas cette fois.

– Quand on aime quelqu'un, il est normal d'avoir de la peine pour lui, leur avais-je expliqué. Madame Marcotte a de la peine quand vous êtes tristes.

Était-ce malsain ou déplacé? Je crois que c'était surtout une leçon de vie sincère et honnête. Puisque chacun de nos gestes a une grande importance pour eux, puisqu'ils se plaisent spontanément à nous imiter, pourquoi ne pas leur montrer la compassion et l'amour? N'en seront-ils pas meilleurs?

Depuis mes débuts en enseignement, plus de cent cinquante enfants ont pris une place spéciale dans mon cœur. Et vous savez quoi? Il reste encore de la place pour tous les autres qui, pendant une courte année, s'assoiront devant moi et boiront mes paroles.

Ce sont des centaines de petits trésors, tous différents, tous importants, qui représentent bien plus à mes yeux que mon gagne-pain et pour qui, je le souhaite, j'aurai la chance de faire une différence.

# Décompression

J'ai cette vie qui court
Et qui m'oublie derrière
J'ai le bonheur sourd
Aux grondements du tonnerre

Comme tant d'autres mamans, je n'ai pas le loisir de porter mon pyjama bien longtemps le matin. Je ne profite pas non plus d'un déjeuner en famille qui s'étire. J'engouffre mon insipide gruau instantané sans même m'asseoir un moment.

J'ai rarement le temps de m'informer du sommeil de mes trois petits schtroumpfs... À quoi ont-ils rêvé? Comment se sont-ils réveillés? Ils sont contraints de me faire un résumé et doivent accepter que maman coure partout en les écoutant parler.

Comme tant d'autres mamans, je laisse chaque matin mes plus jeunes entre les mains d'une « maman remplaçante ». Je connais cette douleur, ce tiraillement dans les entrailles quand, les joues mouillées de larmes, ils me regardent partir par la fenêtre de la garderie.

Mes enfants ne connaissent pas de week-ends de *farniente* où rien n'est au programme. L'horaire de base de la fin de semaine comprend le lavage, le ménage, l'épicerie et les lunchs. À cela s'ajoutent les soupers entre amis, les fêtes et les multiples activités, et voilà qu'on a à peine senti l'odeur du congé qu'il s'est déjà évaporé...

Longtemps j'ai voulu croire que je n'avais pas le choix de travailler. Je répétais à qui voulait l'entendre qu'être une maman à la maison n'était pas à notre portée financièrement. Mais je vois bien que d'autres y sont parvenus avec moins...

La vérité, c'est que je n'ai pas eu la force de tout sacrifier. Sacrifier un poste dans une école de rêve, poste que je risquais de ne jamais retrouver. Sacrifier cette maison que nous n'aurions pas pu acheter avec un seul salaire. Sacrifier ma modeste garde-robe et quelques escapades chaque année. Sacrifier le monde des adultes pour plonger, tête baissée, dans celui des enfants à temps plein. Sacrifier la reconnaissance sociale et la valorisation qu'apporte une profession, aussi.

La vérité, c'est que j'ai *choisi* cette vie qui va vite et qui m'entraîne avec elle. J'ai choisi mon métier comme une vocation. J'ai embrassé le rythme effréné d'une vie débordante et j'ai sauté à pieds joints dans cette valse avec mon mari et mes trois beaux enfants.

Eux non plus ne savourent pas tellement l'instant « pyjama » du matin. Mais ils partagent avec moi cette vie qui n'est jamais ennuyante et qui les appelle à se surpasser.

Je lis régulièrement des textes qui tendent à défendre l'un ou l'autre de ces modes de vie. Maman à la maison contre maman au travail. Pour ma part, j'aurais envie que nous fassions une trêve. J'aurais envie que naisse en nous une admiration mutuelle.

Quand je vois passer ces mamans à poussette qui restent à la maison avec leur progéniture, je les admire pour les sacrifices qu'elles ont faits et pour le courage qu'elles ont eu de mettre de côté leurs ambitions professionnelles. Elles ont choisi de prendre le temps, de savourer chaque instant, de faire des rôtis de bœuf qui mijotent pendant des heures. (Ce n'est pas une obligation, mais si j'étais à la maison, je ne m'en priverais pas!)

De la même manière, quand je croise en voiture une maman pressée qui calme sa marmaille à un feu rouge après une grosse journée de travail, je l'admire aussi parce que je sais l'énergie dont elle a besoin! Je suis consciente de tout ce qu'il faut mettre en place pour ne pas laisser le stress nous submerger, et pour savoir créer, malgré la lourdeur des journées, un foyer où nos enfants se sentent bien.

Puisqu'on a le choix, puisqu'on est libres et instruites, je pense qu'il est temps de s'assumer de part et d'autre et d'envoyer paître la culpabilité.

Oui, mes enfants ont une maman qui a savouré pleinement ses trois congés de maternité pour ensuite retourner au travail. Une maman qui compense comme elle peut durant les vacances de Noël et celles de l'été. Une maman qui travaille non pas parce qu'elle méprise celles qui ne le font pas, non pas parce que quelqu'un le lui impose, mais parce qu'elle le veut bien...

Cela dit, travailler, c'est plonger chaque jour dans ce monde un peu fou où tout va trop vite, où la demande est forte, où les attentes sont grandes. Comme pour le plongeur qui descend dans les profondeurs, je sens la pression monter à mesure que la journée avance. Je la sens mais je ne m'y attarde pas, trop occupée à prendre soin de mes vingt-quatre élèves et à m'assurer de répondre aux attentes des parents, de la direction, des collègues... Toute cette action rend le stress gérable, invisible en fait. Mais voilà que la journée s'achève et qu'il faudra s'arrêter, remonter à la surface. Bien souvent, c'est là que survient le risque de panique, d'excès de stress, d'explosion émotive.

Le fait est qu'un vrai plongeur ne remonte jamais à la surface sans de multiples précautions. Il y a des étapes, il faut prendre son temps, connaître la technique. Sans quoi la décompression fera des ravages et peut même être fatale...

J'ai longtemps été cette plongeuse inexpérimentée qui, en revenant du travail, se sentait si mal qu'elle avait l'impression d'être sur le point de se désintégrer. Mon Adonis regardait ma détresse sans trop me comprendre. Logiquement, le retour à la maison – ce moment où la course prend fin – aurait dû apporter satisfaction et réconfort à sa petite femme survoltée. Ce n'était pas le cas.

Après avoir quitté l'école la tête pleine de travail inachevé et d'émotions refoulées, après avoir rapatrié la marmaille en passant au service de garde puis à la garderie, après avoir déshabillé tout le monde, rangé les sacs, les boîtes à lunch, je n'arrivais pas à m'asseoir et à savourer mon retour à la surface. Le moindre pleur me faisait trembler, la moindre demande me semblait insurmontable. J'entreprenais de faire le souper avec une humeur de chacal, prête à lancer par la fenêtre la première porte d'armoire qui oserait me tenir tête, paniquée par le simple fait qu'il puisse me manquer une tomate ou que je n'aie pas acheté la bonne sorte de pesto…

J'ai mis du temps à comprendre le phénomène. Jusqu'à ce que cette image du plongeur qui refait surface trop rapidement m'apparaisse comme une révélation. Mon Adonis et moi avons alors tenté d'élaborer des étapes qui me permettraient de ressurgir sereinement des profondeurs. Grâce à lui, j'ai peu à peu construit ma propre « cabine de décompression », dont il est le moteur principal.

Les voici, ces précieuses étapes qui ont changé ma vie :

PREMIÈRE ÉTAPE ✹ En attendant le retour du « moteur » de la cabine de décompression (bref, en attendant que le conjoint rentre du travail), s'isoler et éviter toute activité. Pour ma part, je m'étends sur mon lit ou je descends au sous-sol pour écouter la télévision avec les enfants. Interdiction d'entreprendre la préparation du souper, de faire le ménage ou d'entamer toute autre tâche...

DEUXIÈME ÉTAPE À l'arrivée du «moteur», lui faire part – d'un ton calme et sans le brusquer – de tous les éléments de stress et des émotions refoulées pendant la journée, aussi insignifiants puissent-ils paraître. Exemples:

- Je n'ai pas terminé mes bulletins.
- Je n'ai pas de lunch pour Mia demain.
- Je suis fâchée parce que mon collègue a oublié sa période de surveillance à la récréation et j'ai dû m'en charger toute seule.
- Je n'ai pas de cadeau pour mon amie et c'est son anniversaire demain.
- Je trouve que la maison est un capharnaüm.

TROISIÈME ÉTAPE Rationaliser le tout à l'aide de son complice:

- Il y a un restant de nouilles dans le frigo pour le lunch de Mia.

- Pour ton amie, tu peux prendre une bouteille de vin dans le cellier.

- On ramassera la maison en famille après le souper.

QUATRIÈME ÉTAPE Se faire un énorme câlin (étape cruciale qu'il est interdit de bâcler).

DERNIÈRE ÉTAPE Lâcher prise et passer à autre chose. Respirer profondément. Boire une sangria. Ne plus penser à sa journée. Ne plus en reparler.

***** Décompression terminée. Pas de mort, pas de blessé! *****

D'accord, ce plan nécessite la présence d'un conjoint compréhensif sur qui la pression n'a pas trop d'effet. Un partenaire fort et aimant qui accepte aussi de prendre le temps. Bien sûr, il y a des soirs où les rôles s'inversent. Des journées plus faciles où j'ai plongé moins creux. Des moments où j'ai envie d'être celle qui accueille et qui prend soin. Mais au moins, je sais maintenant comment m'y prendre pour remonter à la surface quand la journée a été longue et laborieuse!

Je me demande souvent comment font ces mamans qui n'ont qu'une ou deux semaines pour se ressourcer, l'été. Mon enviable congé annuel sans solde de deux mois m'est plus que nécessaire... C'est sur celui-ci que repose en grande partie ma santé mentale!

Depuis quelques années, les vacances me portent beaucoup à réfléchir. Quand on arrête notre course folle, quand on arrive à ce moment béni où tout est possible, notre principale envie est que tout soit parfait. Les vacances n'ont pas le droit d'être ratées. Il faut du soleil, pas de microbes, de belles activités, pas trop de chicane et, surtout, aucune catastrophe qui nous obligerait à annuler ce qui était prévu!

Quant aux façons d'aborder les vacances, elles sont différentes d'une personne à l'autre. Il y a les «adeptes du calme» (pour ne pas dire de l'absolu silence), qui débranchent le téléphone et partent au chalet, sans télévision ni radio, bien décidés à NE RIEN FAIRE! Ils s'installent sur la galerie et contemplent le paysage.

À l'autre extrême, on retrouve les «qu'est-ce qu'on fait?»: ceux qui ont besoin d'un maximum de stimulation pour ne pas avoir l'impression de gaspiller leur temps.

– Où on va ? Qu'est-ce qu'on visite ? Chez qui on s'arrête en chemin ?

Quelque part entre les deux se trouvent les « adeptes du moment présent », qui ne prévoient rien à l'avance. Ils utilisent à profusion cette phrase fétiche : « On verra ! »

Ayant naturellement tendance à donner dans le « qu'est-ce qu'on fait ? » j'ai tenté, il y a quelques années, une conversion contre nature vers le clan des « adeptes du calme ». Puisqu'on court toute l'année, qu'on est tout le temps hyperstimulés, les vacances ne devraient-elles pas être un moment pour décrocher ?

J'ai essayé. Trouver un bon livre, ne rien prévoir, savourer le moment, ne rien faire… J'ai survécu une grosse demi-journée. Puis la question est revenue en force : QU'EST-CE QU'ON FAIT ?!

En y pensant bien, je n'ai jamais été douée pour le *farniente*. J'entends encore la douce voix de ma maman qui, dans ma jeunesse, me répétait : « Julie, tu en fais trop ! »

Je disais oui à tout. Équipe de basketball, piano, chorale, présidence de la classe, animation de camp d'été, nommez-le, j'y étais! Toujours en action. Mais maman s'inquiétait pour rien. J'étais heureuse dans l'action. Me demander aujourd'hui d'être à l'aise dans le calme plat, ce serait me dénaturer! Alors il n'est pas étonnant que j'aie eu de la difficulté à gérer le «phénomène des vacances»! Comment trouver l'équilibre entre l'action et le repos?

J'ai trouvé la réponse à cette question à Charlevoix, l'été dernier, lors d'une semaine de camping avec mon beau-frère, sa femme et leurs deux enfants. Évidemment, digne représentante de la catégorie des «qu'est-ce qu'on fait», je m'étais assurée de bien remplir nos journées. Qui dit Charlevoix dit baleines, et en consommateurs intelligents que nous sommes, nous avions préalablement acheté nos billets d'excursion à rabais. Le jour venu, nous avions environ une heure de route à faire pour nous rendre au point d'embarquement du bateau.

Une fois la marmaille excitée entassée dans nos deux autos, nous avons quitté le terrain de camping vers cette superactivité qui n'avait d'autre choix que d'être formidable. Le chemin pour se rendre semblait assez évident, mais comme nous venions d'acquérir un GPS et que nous étions les meneurs du périple, nous avons décidé de suivre ses instructions. Nous avions encore cette belle naïveté de l'acheteur qui en est à son premier GPS et qui croit que la technologie a toujours raison... Nous n'avons donc pas contesté son autorité quand il nous a conduits sur des routes secondaires douteuses. Après plusieurs minutes de chemins sinueux qui semblaient nous mener bien loin du fleuve, nous avons commencé à craindre le pire. Et si le GPS avait tort ? Un seul regard à ma montre et j'ai senti la panique monter en moi. Nous n'avions pas le temps de rebrousser chemin! Nous allions manquer le bateau (et les baleines par le fait même), en plus d'avoir gaspillé notre temps et notre argent. Cette option n'était PAS envisageable, il FALLAIT que le GPS ait raison!

Nous nous sommes donc entêtés à croire à l'impossible... jusqu'à ce que le pavé asphalté se transforme en gravier!

Mon beau-frère nous a alors fait signe d'arrêter.

– On est dans le champ, c'est sûr que c'est pas par ici... On revire de bord, la gang!

Il était calme, zen et souriant.

Moi, en grande hystérique, je lui ai répondu sur un ton sans équivoque:

– Non, si on revire de bord, on manque les baleines!!! On n'a pas le choix, ça va finir par déboucher quelque part. On continue.

Mon beau-frère a renchéri:

– Julie, oublie les baleines, c'est pas grave. On fera un pique-nique sur le bord du fleuve à la place.

«Quoi?! On a payé cent cinquante dollars pour cette superexcursion! Les enfants ont tellement hâte de voir les baleines! Un banal pique-nique!? Vraiment?» ai-je pensé.

Dans ma voiture, c'était la panique. Mon sympathique mari accepta de continuer un peu, surtout pour me faire plaisir. Tout comme moi, mes enfants transpiraient l'anxiété: «Est-ce qu'on va rater les baleines, maman?» J'avais le cœur qui battait à tout rompre, je suais à grosses gouttes et mon cerveau cherchait inlassablement une solution à cette impasse. Puis ce fut la catastrophe. La route… n'était plus une route! C'était un trou boueux géant aboutissant à… une clôture! Arrêt numéro 2, je dus me rendre à l'évidence: mon beau-frère avait raison. Il allait être furieux que je me sois entêtée et tout le monde serait déçu. Quel fiasco!

Mais voilà que mon beau-frère gardait le sourire. Aucune trace de panique dans sa voiture. Ma belle-sœur relaxait, les pieds sur le tableau de bord, mon neveu et ma nièce rigolaient et s'amusaient avec insouciance à l'arrière.

C'est alors que j'ai été frappée par une révélation: NOTRE BONHEUR NE DEVRAIT PAS DÉPENDRE DES CIRCONSTANCES DE LA VIE!

Facile à dire, évidemment. Pourtant, c'est possible. Je l'ai vu, ce jour-là, dans le regard de cette petite famille, heureuse de faire une balade imprévue sur un sentier boueux, même en sachant très bien qu'elle ne verrait pas de baleines. Mon beau-frère, sa conjointe et leurs enfants continuaient de croire que cette journée allait être bonne et belle... parce qu'elle l'était *déjà* à leurs yeux!

Un coup d'œil à ma famille et j'ai compris que j'avais tout faux. Mes enfants étaient en larmes, mon mari, complètement stressé, et moi, je n'arrivais même plus à mettre des mots sur mes émotions. Des activités trépidantes, d'accord. Mais jamais au prix de notre bonheur. Si on voit des baleines, c'est super! Si on n'en voit pas... eh bien, c'est super quand même! Il pleut? On est perdus? Il y a moyen d'en rire!

Le secret de vacances réussies, ce n'est pas de prévoir ou non des activités, c'est juste de ne pas leur donner plus d'importance qu'elles en ont vraiment. Ce qui fait la joie des vacances, c'est d'avoir enfin le temps d'être ensemble, peu importe ce qu'on fait et ce qu'on ne fait pas. Voilà comment on allie action et repos! Le repos, c'est entre les deux oreilles que ça se passe!

Croyez-le ou non, nous avons finalement rebroussé chemin et avons réussi, par je ne sais quel miracle, à attraper notre bateau. Et ce ne fut même pas une croisière mémorable... Le brouillard était épais, le bébé était grognon et nous n'avons pas vu grand-chose. On aurait eu plus de plaisir à pique-niquer, quand j'y repense! Mais la leçon que j'ai tirée ce jour-là valait cent fois le prix des billets. J'ai compris comment profiter pleinement, et à ma manière, de mes vacances.

Prendre des vacances, ce n'est pas uniquement arrêter de travailler. C'est plutôt un lâcher-prise. Ce ne sont pas vraiment nos tâches qui nous épuisent, mais l'énorme pression qui vient avec. En tant que maman qui travaille, avoir trente ans m'a donné envie d'enfin dire NON à toute cette pression. J'apprends à profiter du moment présent sans laisser la vie me faire courir à temps plein. C'est un travail de longue haleine qui me demande beaucoup d'humilité et d'introspection.

Mes trente ans m'ont aussi incitée à enterrer une bonne fois pour toutes la Julie-superwoman en moi qui, après avoir essuyé de nombreux revers, a eu besoin de redevenir une Julie-bien-ordinaire. J'ai dû faire mon deuil de la performance, accepter de décevoir et ne pas me sentir coupable de demander de l'aide.

Je vous encourage, chères mamans qui travaillez, à faire de même. À courir un peu moins. À vivre un peu plus. À creuser une tombe sans tarder pour cette superwoman qui vous demande l'impossible. Une fois le deuil passé, vous verrez, jamais elle ne vous manquera…

# Humilité et maladresses

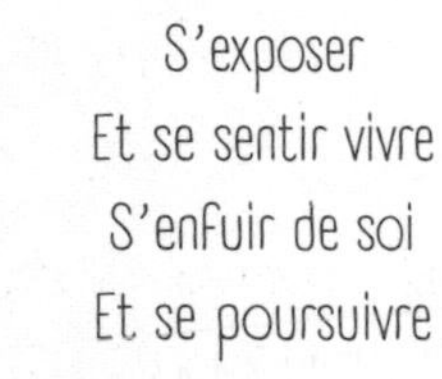

S'exposer
Et se sentir vivre
S'enfuir de soi
Et se poursuivre

Trente ans, c'est l'âge des bilans. Avec les ridules viennent les constats. J'ai atteint cet âge vénérable où, finalement, on commence à savoir un peu ce qu'on veut, ce qu'on aime et ce qui nous insupporte.

J'arrive maintenant à anticiper autant la colère que le plaisir dans les petites choses de la vie. Par exemple, je sais que mon pyjama est mon plus grand «générateur de bien-être». Je ne peux pas décrire ce phénomène d'intense satisfaction qui m'envahit quand je détache avec hâte la ceinture qui m'oppresse, relâche les pantalons qui me gardent captive, libère mes bras de cette chemise qui les enserre et envoie valser souliers, «bobettes» et pinces à cheveux dans l'empressement. Nue, à deux doigts du bonheur absolu, ce sont la fraîcheur du plancher et la pudeur qui me guident vers le doux coton de mon pyjama. Sans coutures, sans boutons, sans pression, j'enfile cette précieuse merveille qui me réchauffe instantanément et m'apporte un réconfort indicible.

Pourtant, personne ne parle jamais sérieusement de ce phénomène. Toutes ces émissions de télévision, tous ces livres sur la quête du bonheur, alors qu'il se trouve peut-être dans un simple pantalon de coton! Ou alors suis-je la seule à profiter de ce moment d'extase quotidienne?

Au même titre que l'enfilage du pyjama – mais avec moins d'intensité –, je peux énumérer plusieurs expériences qui m'apportent régulièrement du bien-être:

- Arracher mes cheveux blancs.
- Enlever les points noirs de mon nez à l'aide d'une bande faciale.
- Acheter un nouveau vêtement, quel qu'il soit. (Mais si c'est un pyjama, c'est le paradis!)

- Mettre mon cerveau à *OFF* le temps de dévorer une croustillante revue à potins.

- Regarder et re-regarder mon fichier de photos sur mon ordinateur portable.

- Visiter virtuellement des maisons sans aucun désir réel de déménager.

- Me faire pleurer en écoutant un film triste à mourir.

- Regarder dormir mes enfants.

- Me promener légèrement vêtue par une belle journée chaude et sentir le vent jouer dangereusement avec ma jupe.

- Dormir en plein jour.

J'ai juste assez d'années derrière moi pour savoir comment me faire du bien, mais aussi comment reconnaître les irritants de la vie. D'ailleurs, plus le temps passe, plus ils me semblent insupportables...

- Avoir à subir les embouteillages; devoir faire des détours; attendre aux feux de circulation... Bref, je n'aime pas conduire!

- Se faire doubler par un abruti qui, pour je ne sais quelle raison, pense qu'il a l'air plus intelligent si son auto fait du bruit.

- Les vélos qui roulent en plein milieu de la route, plutôt que sur le côté ou sur la piste cyclable. Si tu veux faire partie de la parade, trouve-toi une voiture!

- Être aux prises avec mes cheveux qui, sans raison, refusent de collaborer, alors que la veille ils s'étaient prêtés au jeu! Un *bad hair day* où je ne peux ni les attacher ni les raidir et encore moins les convaincre de friser convenablement. Je m'acharne et mon miroir s'entête à me renvoyer l'image d'une vadrouille, terne et moche.

- Perdre un courriel après avoir consacré de longues minutes à l'élaborer et à le peaufiner.

À cette liste s'ajoutent: les bobettes qui roulent sur nos hanches au lieu de rester en place, les salles d'essayage sans miroir à l'intérieur et le prix, ridicule et exorbitant, des vêtements de maternité (d'accord, je n'en ai plus besoin, mais je demeure outrée).

Mais le summum, que dis-je, la quintessence des irritants, c'est cette maladie chronique qui m'affecte, communément appelée «maladresse». On me dit que c'est mignon, divertissant, que mon mari ne doit pas s'ennuyer... Mais qu'est-ce qui vous dit que mon mari n'aimerait pas s'ennuyer un peu, à l'occasion? Moi aussi, j'ai trouvé ça mignon, les dix premières années! Après, c'est devenu embarrassant. Et me voici, à trente ans, avec la dextérité manuelle d'un gamin de trois ans sous-stimulé!

À tous ceux qui pensent que j'exagère ou que je dramatise, eh bien, dites-moi s'il vous arrive souvent de vous coincer le doigt dans votre porte d'auto, *de l'intérieur*? Je n'ai jamais compris comment c'était possible, mais en m'assoyant sur le siège du conducteur, mon cerveau a décidé de refermer la portière alors que ma main cherchait la ceinture de sécurité. Pas question de faire les deux actions l'une après l'autre, évidemment... Je me suis donc retrouvée avec la main droite coincée dans la porte. Je ne saurais dire quelle douleur était la plus grande ; celle de ma main ou celle de ma dignité.

Je vis ce genre de situation chaque jour. Je peux, par exemple, échapper le même objet à plusieurs reprises dans un délai de vingt secondes. Il m'arrive alors de croiser le regard de mon mari, stupéfait qu'une telle maladresse puisse être possible et curieux de voir combien de fois le malheureux bidule ira choir sur le plancher. Il est un peu moins indulgent quand je remue ciel et terre parce que mes clés sont *encore* restées dans ma voiture, et moi, dehors !

Dans le domaine des maladresses en voiture, l'événement remportant la palme d'or s'est produit à l'hiver 1997, alors que je travaillais rue Cartier, à Québec. Je m'y rendais avec la voiture de mes parents, que je stationnais à quelques rues de là. Par un samedi matin de tempête, l'endroit où j'avais l'habitude de me garer n'avait pas été déneigé. Mais, pleine de sagesse et de jugement (… *not!*), je me suis dit qu'avec un bon élan je parviendrais à y faire entrer mon véhicule. Vous vous doutez du dénouement…

J'entrepris de libérer mes pneus de toute cette neige qui me retenait captive avec le seul outil disponible : une pelle d'enfant en plastique bleu laissée dans le coffre. Avec ardeur, puisque déjà en retard, je pelletai jusqu'à ce qu'il me semblât possible de sortir la voiture de son trou. C'est alors que je constatai l'inévitable avec stupeur : j'avais barré les portes et laissé le moteur en marche, les clés sur le contact ! Piteuse, je me rendis à mon travail, espérant y trouver secours et compassion… qui ne vinrent pas. Mon patron m'écouta lui raconter mon histoire, puis, l'air amusé, il me dit : « Bonne journée ! » juste avant de s'en aller. Je n'en revenais pas ! Il était sept heures quarante-cinq et j'étais la seule employée sur place ! Je dus donc réveiller mon vaillant papa pour lui expliquer que sa voiture était en marche dans une rue du Vieux-Québec, qu'il devait venir la débarrer, la dégager du banc de neige et la restationner. Pas besoin de vous dire qu'il fut ravi !

Dernièrement, après mon cours de Cardio Tae Box, il m'est arrivé de ne plus trouver ma voiture dans le stationnement. Après plusieurs minutes à tourner en rond, j'ai commencé à penser qu'on me l'avait volée. En sortant de mon cours, j'avais remarqué des policiers qui discutaient avec des gens, un peu plus loin. Je me suis dit qu'ils étaient peut-être là pour d'autres vols de voitures…

Lorsque je suis arrivée près d'eux, les policiers m'ont interpellée:

– Madame, vous cherchez votre voiture?

– Oui! répondis-je, de plus en plus convaincue que mon scénario du vol tenait la route.

– Est-ce que c'est celle qui est là-bas?

J'ai levé les yeux et j'ai aperçu au loin ma belle Élantra, flirtant avec un poteau. Confusion totale dans ma tête. Comment s'était-elle retrouvée là? Le policier s'est fait un plaisir de m'éclairer... J'avais laissé ma voiture au point mort et, le stationnement étant en pente, elle était partie en balade! Mais le comble, c'est qu'elle avait heurté deux autres voitures avant d'emboutir le poteau. J'ai alors compris le regard hostile des gens qui discutaient avec les policiers; ils m'attendaient de pied ferme pour un constat!

Généralement, les gens trouvent ma maladresse divertissante jusqu'au jour où elle les implique. À ce moment-là, ils semblent tous avoir le même doute en tête, la même pensée qui les turlupine: «Est-ce qu'elle l'a fait exprès?» Bien sûr que je vous ai volontairement aspergé(e) de ketchup, c'est évident! J'ai un tel plaisir à vous voir ainsi humilié(e) et furax! J'adore m'adonner à ce sport extrême qu'est le magasinage de «claques sur la gueule»! Heureusement, il n'y a jamais eu mort d'homme, et toutes mes gaffes sont demeurées de l'ordre du divertissement.

À la recherche d'un emploi pendant mes études, j'ai malencontreusement oublié de préciser dans mon CV que j'étais un danger ambulant et que j'avais les mains pleines de pouces. J'ai donc été engagée... comme commis-charcutière! J'ai encore la chair de poule en pensant qu'on a laissé une fille comme moi manipuler des trancheurs, des hachoirs à viande et des couteaux. J'ai fait quelques dégâts; un chaudron de sauce à spaghetti renversé sur le plancher et quelques blessures mineures, mais grâce au ciel, je m'en suis sortie indemne.

Cependant, ma maladresse m'a déjà rendu service avec un commis des fruits et légumes un peu trop insistant. En tant que digne adolescent nonchalant, il passait une bonne partie de son quart de travail avachi sur mon comptoir, à faire des sous-entendus salaces pour épater la galerie. Loin d'être sous le charme, je ne savais plus comment me débarrasser de lui. J'avais essayé le regard de glace, les farces plates et les réponses laconiques, rien n'y faisait.

Un soir que je m'affairais à préparer la salade de légumes maison qui faisait notre renommée, il était encore devant moi, appuyé au comptoir. J'avais dû supporter sa présence tout au long de la coupe des légumes et il avait l'air de vouloir rester pour assister à l'assaisonnement! Vint le temps d'ajouter l'ingrédient final à ma salade: la vinaigrette italienne piquante. Elle était dans un gros contenant qu'il fallait agiter vigoureusement avant de l'ouvrir. J'avais l'habitude de m'y prendre à deux mains pour le secouer de toutes mes forces, afin de m'assurer que son contenu soit bien mélangé. Mais ce soir-là, clin d'œil du destin, j'avais déjà utilisé la vinaigrette pour une autre salade et je n'avais pas complètement revissé le couvercle. Je revois encore la scène au ralenti dans ma tête. Lui qui est là à me raconter une autre de ses blagues insignifiantes et moi qui prends mon élan pour brasser le contenant... jusqu'au moment jouissif où le couvercle s'envole et où la vinaigrette, huileuse, piquante, odorante, aboutit sur le visage, les cheveux, le chandail et le pantalon de mon envahisseur pétrifié! C'est la seule fois, je le jure, où j'ai éprouvé un certain plaisir après une de mes maladresses. Bon, le nettoyage a été laborieux, mais le commis ne m'a plus jamais adressé la parole. Plusieurs semaines après l'événement, il flottait encore une petite odeur de piquant dans le département...

Dresser la liste de toutes les situations insupportables dont je suis responsable, jour après jour, à cause de ma maladresse serait long et humiliant. Parfois, je me dis qu'en vieillissant, je devrais acquérir quelques habiletés, développer des parties de mon cerveau encore endormies... mais non. À trente ans, je suis toujours celle qui déboule les escaliers en entrant quelque part, qui égratigne sa voiture sur des poteaux avec l'espoir qu'ils sont faits de craie et que les traces s'effaceront aisément, celle qui se met K.-O. elle-même dans son cours de Tae Box, qui fait littéralement exploser son souper sur la cuisinière ou qui laisse son portefeuille sur le toit de sa voiture. Je n'ai pas le luxe d'avoir beaucoup d'orgueil, ce serait trop douloureux.

Il m'arrive de penser qu'on m'a joué dans la cervelle à mon insu, qu'on en a retiré des bouts, puis qu'on a subtilement refermé le tout. Sinon, comment expliquer que j'ai pu me retrouver dans l'autobus avec, aux pieds, les superbes couvre-chaussures bleus du cabinet du dentiste ? Ou que j'ai pu, en pleine discussion professionnelle, sortir du bas de mon pantalon mon collier qui, ayant fait la grande descente, s'y était retrouvé ? Vous imaginez le visage de mon interlocuteur ? Je suis convaincue d'avoir une grande crédibilité à ses yeux, depuis ce jour…

Il y a quelques années, mon Adonis et moi sommes allés à l'improviste au cinéma. C'était l'été et il faisait chaud, alors, je portais des vêtements légers. Craignant d'avoir froid dans la salle à l'air climatisé, j'ai empoigné en vitesse la couverture d'aluminium de secours qui se trouvait dans le coffre à gants. Imaginez le bruit, discret, de ladite couverture lorsqu'on la sort de son enveloppe… sans parler de sa brillance ! J'ai été la cible de nombreuses insultes des autres cinéphiles, et je vous jure qu'à ce moment-là mon Adonis aurait souhaité être marié avec une femme ennuyante.

À mon manque d'adresse s'ajoute ma tendance à me mettre le pied dans la bouche. Je suis de celles qui parlent dès que l'occasion se présente et réfléchissent seulement après coup, lorsque l'expression faciale de leur interlocuteur indique une bévue.

Après avoir accouché de ma fille, j'aimais bien, comme toutes les nouvelles mamans, exposer mes trucs et mes réussites avec mon enfant. Un dimanche matin, à l'église, une dame passa devant moi alors que je venais d'endormir Mia à l'aide d'une technique dont j'étais fière: je la déposais sur mon ventre, face contre moi, et je faisais de petits mouvements de bassin, dans le genre «sécheuse en pleine action». Impressionnée, elle me demanda alors mon truc et, sans réfléchir, je répondis:

– C'est facile! Je m'installe confortablement, je me mets sur le dos et je me branle.

Il ne me fallut qu'une fraction de seconde pour réaliser ce que je venais de dire et ressentir un urgent besoin de ravaler mes paroles. Plusieurs réactions peuvent être observées chez notre interlocuteur dans une telle situation: il peut répliquer, faire répéter, se moquer, se fâcher, lever les yeux au ciel, etc. Cette aimable personne a choisi l'option délicate qui consiste à faire semblant qu'on n'a pas trop compris, en souriant et en hochant la tête.

Quelques années plus tôt, je m'étais retrouvée dans un magasin à grande surface avec quelques copines. Alors que nous terminions nos essayages, une voix à l'interphone demanda un commis pour les caisses. Rien d'exceptionnel.

Mais voilà que quelques minutes plus tard, on redemanda ce même commis. Rien n'y fit, alors la voix finit par la nommer :

– Yvonne est demandée à la caisse, s'il vous plaît, YVONNE.

– Voyons, Yvonne, qu'essé qu'a fait ? ai-je lancé en riant.

Mon commentaire fit rire mes amies, ce qui m'incita à continuer. En route vers les caisses, on entendit l'interphone rugir à nouveau. Je décidai alors de rouler mes *r* pour rendre mon imitation plus cocasse.

– Dépêche, Yvonne, on t'attend, nous autrrres. Y aurrrait-tu moyen que t'amènes tes fesses à la caisse, s'il te plaît, YVONNEEEEE ?!?

Alors que nous nous esclaffions, la dame qui marchait devant nous se retourna et nous lança un regard glacial. Je pensai alors qu'elle nous trouvait déplacées ou agaçantes, sans plus. L'interphone cracha de plus belle sa requête et je continuai :

– Ah ben, simonak ! J'vais aller la chercher moi-même, Yvonne, là, ça va faire !

La dame devant nous s'arrêta net et se retourna en m'indiquant son badge. Il y était inscrit, en lettres majuscules : YVONNE. Je n'eus pas le temps de m'excuser, pas le temps de me ressaisir, le mal était fait. Yvonne ouvrit sa caisse et nous payâmes nos achats avant de sortir, partagées entre l'idée de lui écrire une lettre d'excuse et celle de pouffer de rire...

Mais il semble que cet épisode n'ait pas été suffisamment marquant pour me donner ma leçon. Un soir de Noël, lors de la célébration de minuit à l'église, tout le monde était sur son trente-six et nous discutions entre amies lorsqu'un homme pauvrement vêtu et visiblement malpropre vint s'immiscer dans notre conversation.

– J'me sens mal, vous êtes toutes belles. Moi, je suis habillé tout croche.

Pleine de compassion, je voulus briser le silence gênant qui s'était installé et je répondis spontanément :

– Mais ce qui compte, ce ne sont pas les vêtements, c'est ce qu'il y a en dessous !

Je sentis alors une dizaine de paires d'yeux scandalisés se tourner vers moi. Alors que je tentais désespérément de mettre cet homme à l'aise, voilà que dix pieuses personnes étaient convaincues que je convoitais un itinérant de vingt ans mon aîné! J'eus beau cafouiller et patiner autant comme autant, je ne parvins pas à rectifier cette grossièreté qui venait de sortir de ma bouche sans l'approbation de mon cerveau...

À la limite, ce genre d'anecdote peut être drôle. Mais il arrive que ça ne le soit plus. Ce fut le cas avec une collègue de travail, que j'ai un jour blessée sans le vouloir.

Ce jour-là, une marque étrange et inexplicable était apparue sur mon bras. Un cercle parfait, boursouflé et brunâtre. Sans me demander si ça pouvait intéresser les gens autour de moi, j'entamai spontanément un monologue sur le sujet. Qu'était donc cette chose? Une marque extraterrestre ou une bactérie dangereuse? Comme mon interlocutrice ne réagissait pas, je poursuivis sur ma lancée. «Je crois que c'est un cancer de la peau. Merde. Il va peut-être falloir qu'on m'ampute un bout de bras!»

Je papotai de longues minutes sur mon éventuel mélanome, jusqu'à ce que ma collègue, muette depuis le début, se tourne vers moi, le visage en larmes.

– Julie, tu sais même pas c'est quoi, un cancer!

Elle n'eut pas besoin d'en dire plus. Je retrouvai d'un coup la partie de mon cerveau qui s'était absentée un instant et me souvins que sa sœur était morte d'un cancer un an auparavant. Elle s'en remettait à peine, toute sa famille était encore en deuil, et voilà que je lui rappelais cette horrible maladie.

J'ai alors eu une prise de conscience. Il était temps, me direz-vous! À l'époque, j'avais tendance à exagérer, à «me croire», comme disait mon père. Quand mon discours frivole donnait la main à ma légendaire maladresse, il y avait des dommages. Mais j'aimais ce sentiment grisant qui m'envahissait en présence d'un auditoire enthousiaste. Une forme de satisfaction, très égocentrique, à me sentir soudain intéressante, divertissante. Mais à quel prix? Neuf fois sur dix, ça fait rire, mais la fois qui blesse en vaut-elle la peine? Si ce court moment d'extase narcissique implique d'écorcher au passage un être fragile, ne devrais-je pas remettre en question mes déclarations impulsives?

Je m'y applique, désormais. Non sans peine! J'ai beau chasser le naturel à grands coups de pied, vous connaissez sa tendance! Mais au nom d'Yvonne la caissière et de tous ceux qui ont encaissé des coups pendant l'une de mes envolées verbales spontanées, je compte bien persévérer.

Mon bilan de trentenaire me dit que je devrai certainement m'habituer à vivre avec mon autre maladresse, celle qui est de l'ordre de l'habileté. Mais mon âme et ma conscience me disent qu'il y aura une bataille à mener contre mon besoin de tout faire pour être intéressante et amusante aux yeux des autres. Je devrai apprendre à me valoriser autrement. Dans un shish taouk réussi, par exemple. Dans un dessin fait spécialement pour moi par un élève qui ne tient pas en place, dans la lueur d'amour qui brille dans les yeux de mon homme, dans la lutte que mes enfants initient pour se tailler une place sur mes genoux, dans la tendresse d'un câlin paternel...

Je trouverai bien.

# Lutte à la colère

Faites-la taire
Cette fureur en moi
Faites-la taire
Avant que je m'y noie

Je lui ai cédé la place pendant mes jeunes années, ignorant alors ce qu'elle était vraiment. J'étais une enfant colérique, colorée et caractérielle. Puis elle s'est assoupie. Adolescente, j'avais plus tendance à pleurer et à m'isoler qu'à me fâcher et à exploser. Si j'étais en colère, je le laissais paraître par une humeur massacrante, mais constante. Pas d'éclats, pas de cris. Je décolérais en silence.

L'arrivée des enfants aidant, je suis redevenue explosive, mais cette fois avec une conscience adulte de la chose. Je me suis vue prendre les traits de cette personne que je ne voulais pas être. Je me suis entendue hurler, taper du pied et claquer les portes d'armoires. Je n'ai pas aimé ce que je devenais. J'ai alors entrepris une lutte à la colère.

Je ne parle pas ici du simple sentiment d'être fâchée ou irritée, je parle de péter les plombs, une coche, ou tout autre synonyme de votre choix. Je parle de ces moments de perte de contrôle totale. Vous savez, ce bouillonnement douloureux tellement intense qui nous part du ventre et nous monte au cerveau, qui veut sortir de notre corps par n'importe quel moyen? Je me mets rarement, voire jamais, dans un tel état avec mes amis ou avec mes élèves, mais avec mes enfants à moi, c'est différent. Ils sont à la source de ces cataclysmes. L'ingrédient de base est un inconfort physique (une chaleur suffocante, un vêtement trop serré, une étiquette de «bobette» qui irrite, un manque de sommeil, etc.) auquel s'ajoute une situation irritante (deux enfants qui se crient «Arrête!» sur tous les tons possibles, un couteau qui déchiquette au lieu de trancher, un emballage qui ne veut pas s'ouvrir, un bébé qui pleure, un petit qui ne vient pas quand on le lui demande). Combinez deux ou trois de ces irritants et vous obtenez une explosion de colère assurée!

Avant qu'on m'explique l'origine chimique et hormonale de ce sentiment, je me demandais sans arrêt pourquoi j'en venais à ce point critique où il devient urgent de hurler de toutes ses forces, de lancer un objet, de taper quelque part. Lorsque la colère nous envahit, on a cette conviction qu'elle partira si on s'exprime ou si on brise quelque chose. Pourtant, rien n'est plus faux. On a beau s'époumoner ou se casser les jointures sur les murs, elle ne fait que grandir. Dès qu'on lui a laissé la place, on peut être assurée qu'elle restera un bon moment. Le calme ne vient pas. On reste tendue, tremblante, le sang qui bout et la voix qui vacille. Elle prend toujours trop de temps à se dissiper.

Je passe des heures à enseigner à mes enfants la gestion de la colère, à leur expliquer à quel point cette rage insidieuse peut les amener à blesser ceux qu'ils aiment. Je leur apprends à ne pas la laisser avoir le dessus sur eux et je me *dois*, en toute honnêteté, de leur dire à quel point c'est difficile, même pour moi, et combien je lutte très fort pour la combattre.

Le pire, ce sont ces moments où je fais honte à mon bel Adonis. Ces fois où, publiquement, je nous expose au jugement... Quelques semaines après la naissance d'Alek, nous avons décidé de faire une sortie familiale au centre commercial. Après le dîner, mon bébé avait soif. Mon homme a donc décidé d'aller m'attendre au magasin d'électronique (un classique!) où je devais le rejoindre après le boire. Jusque-là, rien ne laissait présager une explosion. Mais voilà qu'Alek ne voulait pas de ce lait que je lui offrais avec amour. Et il se trouve qu'il ne voulait pas non plus d'une balade en poussette, d'une suce ou d'une doudou. Il voulait s'exprimer, hurler, se faire connaître du monde. Incapable de le laisser pleurer dans sa poussette, je l'ai pris dans mes bras et j'ai conduit maladroitement la poussette de l'autre main pour aller rejoindre mon bel Adonis. Le magasin d'électronique était bondé. J'ai tenté de me frayer un chemin parmi les gens, en vain. Et pendant ce temps, mon bébé pleurait et pleurait sans répit. Je l'ai sentie monter en moi, cette colère qui ne pardonne pas. Je la sentais venir avec tant de force que je savais déjà qu'il était inutile de lui résister. Elle devait sortir, elle devait être évacuée. Je me suis alors mise à avancer brusquement (pour ne pas dire foncer) dans la foule en hurlant le nom de mon Adonis à répétition. Et hurler, c'est peu dire, je m'époumonais sans retenue. Je n'avais plus d'orgueil, plus de savoir-vivre. J'étais cette maman dépassée qui craque, qui réclame son homme. Il m'a entendue. Il a espéré que ces cris d'hystérie proviennent d'une autre femme. Il a été déçu. Je ne voyais plus les regards méprisants des gens qui me dévisageaient, je voyais rouge. Mais lui, il ne pouvait pas les manquer. J'ai lu la honte dans ses yeux. Et cette honte, bien sûr, m'a rattrapée...

Je veux qu'il m'aime, qu'il admire, qu'il me contemple. Pas qu'il ait honte, surtout pas! Je me suis alors promis que cela ne m'arriverait plus. Que je ne me laisserais plus aller à ce point, que je saurais me contenir.

Puis l'été est arrivé et nous avons entrepris de nous rendre dans la région des Grands Lacs, en Ontario. Environ quinze heures de route avec notre petit d'un an et notre grande de trois ans. Inutile de préciser que, dans un tel contexte, les inconforts pullulent… Le manque d'air dans l'auto, le besoin de bouger, la chaleur, les pleurs du bébé, les questions incessantes de Mia, une envie de pipi… tout y était! Puis mon nez m'a avertie qu'il était temps de changer la couche d'Alek. Plus que temps, même! Comme l'heure de manger approchait, nous avons cherché une halte de restauration rapide où je pourrais changer mon fils tout en soupant rapidement. Mon bel Adonis a alors aperçu l'enseigne d'un Subway sur la devanture d'un centre commercial. Ça semblait parfait. Après avoir stationné la voiture, nous avons convenu qu'il m'attendrait à l'intérieur avec Mia, le temps que je trouve une couche pour changer Alek. Mais tout ne fut pas si simple… et la liste des irritants s'allongea rapidement :

1. Les couches n'étaient pas facilement accessibles. Elles étaient dans le porte-bagages, sur le toit.

2. La clé pour ouvrir le porte-bagages était rouillée et elle ne collaborait pas du tout. Je dus y mettre beaucoup d'ardeur pour réussir à l'ouvrir et il me fallut encore fouiller tous les bagages pour mettre enfin la main sur une couche.

3. Décidée à retrouver mon bel Adonis, je me suis mise à la recherche du Subway, qui semblait jouer à cache-cache avec moi dans le centre commercial. J'ai dû demander mon chemin trois fois et j'ai tourné en rond pendant de longues minutes, mon bébé puant et hurlant dans les bras, avant d'arriver à destination.

4. Le Subway en question... n'en était pas un digne de ce nom! C'était un minuscule comptoir à sous-marins au milieu d'une épicerie. Il n'y avait pas de toilettes ni d'endroit où changer mon bébé! Pas non plus d'endroit où s'asseoir pour manger, vous le devinez...

À ce stade, il était trop tard. Quand mon Adonis m'a demandé de baisser le ton et de me calmer, j'ai complètement perdu le contrôle. J'ai lui ai énuméré en hurlant la liste des irritants précédents, puis j'ai décidé qu'Alek DEVAIT être changé, table à langer ou pas. Je l'ai vigoureusement déposé sur une caisse de bouteilles d'eau et, devant le regard pétrifié du commis, j'ai changé la couche malodorante de mon bébé en pleine épicerie, en maugréant sans gêne. J'avais échoué, j'avais à nouveau fait honte à mon mari.

Un excès de colère, c'est comme une absence passagère. Notre cerveau ne tient plus compte de la réalité et le retour est brutal. En retrouvant nos esprits, on reprend conscience de ce qui nous entoure, de la réaction qu'on vient d'avoir, du pitoyable spectacle qu'on vient de livrer.

Heureusement, à ce jour, les choses se sont placées. J'ai beaucoup parlé à mon entourage de ce que je vivais. J'ai lu plusieurs bons livres qui m'ont aidée à garder mes émotions à distance quand les choses dégénèrent. Les enfants ont grandi, aussi... Ma colère s'est endormie et elle se réveille uniquement lorsque c'est VRAIMENT nécessaire. Mais je vis dans la crainte qu'elle refasse surface. Je la surveille, je m'évertue à la prévenir, à faire descendre mon stress, à éviter les irritants, à trouver ma zénitude. Je ne veux pas être à sa merci, et encore moins la léguer à mes enfants. Je ne veux pas qu'elle me rabaisse aux yeux de mon mari. Je n'accepterai jamais qu'elle divise ma famille ou nous fragilise. Je me battrai contre elle, à la vie à la mort. Elle gagnera bien quelques batailles, mais je remporterai la guerre, à n'importe quel prix!

# Une maman et des microbes

Le ventre d'une mère n'a pas de répit
Il s'agite, il se crispe à l'infini
Des maux de grands
Pour un si petit cœur
La peur est pour les géants
J'ai peur quand tu pleures...

Ce n'est rien de très grave. Rien d'incurable, rien qu'on ne puisse combattre. Pas de cancer, pas de fibrose kystique. Pas de maladie dégénérative ni de terrifiante bactérie ravageuse. Seulement de l'asthme juvénile et des otites chroniques. Des petits maux, parfois des grands, qui passeront avec le temps et les soins appropriés. J'aime appeler ces petits défauts de fabrication des «problèmes de recette».

## Recette

INGRÉDIENTS :

- Un peu d'asthme du bel Adonis.
- Deux conduits auditifs à la Julie.

- Une césarienne obligée[4].
- Un allaitement au biberon (forcé).

## PRÉPARATION :

Mélanger le tout, bien brasser pendant plusieurs mois. À tout coup, vous obtiendrez un enfant beau comme le ciel, brillant, mais constamment malade et qui peine à respirer au moindre rhume.

J'ai d'abord cru que tous les parents devaient passer par là. Qu'un rhume d'enfant était, par définition, une dure épreuve sans pitié. Puis peu à peu, j'ai constaté que plusieurs parents de mon entourage n'avaient pas à traverser les mêmes tempêtes que nous et que, pour plusieurs d'entre eux, un rhume ne représentait rien de plus qu'un peu de morve et quelques nuits écourtées. Pour mon bel Adonis et moi, un rhume, c'est l'incarnation du mal! C'est un intrus qui ose s'attaquer à nos petits, les transformer en pâle reflet d'eux-mêmes, et ce, pour de longues périodes.

4. À noter que ce lien entre un accouchement par césarienne et un système immunitaire fragilisé chez l'enfant est une hypothèse non confirmée et présentement à l'étude.

Un virus, un microbe, une bactérie, appelez-les comme vous voulez, ils sont tous dans la même équipe et ils se liguent immanquablement contre notre famille! J'ai essayé de pactiser avec eux, je les ai suppliés de s'attaquer à moi, de me mettre K.-O. et de me torturer à volonté plutôt que de s'en prendre à mes petits, mais ils sont complètement fermés à toute discussion et ils se sont acharnés sur mes enfants sans relâche. Alors je les ai combattus, à coup d'antibiotiques, d'ail dans les oreilles, de probiotiques en poudre et en gouttes, de vitamines onéreuses, de graines de lin, d'oméga-3 et de housses anti-acariens. J'ai frappé de toutes mes forces, armée de pompes, de pilules et de suppositoires. J'ai prié, supplié, et puis j'ai accepté. Accepté notre recette, telle qu'elle est, imparfaite, mais c'est la nôtre, pleine d'amour. J'aime mes enfants tels qu'ils sont, avec leurs petits défauts de manufacture.

Dernièrement, lorsque ma nièce âgée de cinq ans a fait une otite, j'ai été clouée sur place en apprenant qu'elle devait prendre des antibiotiques pour la première fois de sa vie!!! Je me suis alors amusée à faire quelques calculs, pour le plaisir... Depuis la naissance de ma fille en 2006, nous avons cumulé *grosso modo* pour nos enfants:

- 50 prises d'antibiotiques;
- 600 $ en frais de stationnement à l'hôpital;
- 32 hospitalisations pour des problèmes respiratoires;
- 8 poses de tubes dans les oreilles;
- près de 4 500 $ en médicaments de toutes sortes (heureusement qu'on a des assurances!);
- au-delà de 80 consultations avec des médecins, des spécialistes, etc.

Ce sont des chiffres qui font peur, admettons-le! Mais plus encore que les chiffres, derrière chaque infection, chaque virus, chaque rendez-vous chez le médecin se trouve le cœur affolé d'une maman qui s'inquiète pour son petit qui cherche son air, son petit qui a mal, qui est émacié et épuisé. Et ce regard que nous lancent nos enfants lorsque vient le temps de les soigner et qu'ils ne comprennent pas pourquoi on leur inflige ces toilettes nasales, ces prises de sang, ces solutés, ces prélèvements d'urine! Ils nous regardent, l'air de dire: «Maman, ne les laisse plus me faire mal! Maman, je croyais que tu étais là pour moi! Maman, protège-moi de tous ces clowns avec leur masque et leurs gants. Maman, tu m'as laissé tomber...»

On se sent impuissant et à court de moyens pour leur expliquer qu'on leur fait subir tout ça... parce qu'on les aime! Qu'on fait équipe avec les «méchants» clowns pour qu'ils aillent mieux, parce qu'on veut plus que tout les voir sourire et jouer comme avant. Il faut parfois regarder souffrir ceux qu'on aime, mais mon cœur de maman est écorché chaque fois et il ne s'y habitue jamais.

Je dois cependant mettre ma réalité en perspective. Oui, le cas de mon adorable nièce me fait penser que la vie est parfois foncièrement injuste, mais je croise parfois dans les couloirs de l'hôpital des parents dont les enfants sont hospitalisés depuis plusieurs semaines en pédiatrie, en oncologie ou en néonatalité. Des bébés qui ne vivront que quelques jours, des adolescents qui voient leurs rêves s'évaporer, des enfants qui doivent se battre pour leur vie... Ils sortent rarement de leur chambre aux murs jaunes et sont vêtus de la jaquette verte plus souvent qu'autrement. Lorsque les parents de ces enfants passent devant le département du «court séjour» où nous nous rendons la plupart du temps, ils trouvent probablement la vie très injuste, eux aussi. Ils donneraient sans doute tout ce qu'ils ont pour que leur enfant ne soit victime que d'une détresse respiratoire passagère et qu'il revienne ensuite à la maison, hors de danger.

Ce que mon Adonis et moi avons traversé (et que nous vivons encore aujourd'hui à moindre échelle) avec les ennuis de santé de nos enfants a fait de nous une solide équipe de parents que nous n'aurions peut-être pas été autrement. Dans pareilles circonstances, il est nécessaire que chacun fasse sa part. Qui prendra congé demain pour aller à la clinique? Qui conduira la plus grande à l'école? Qui veillera toute la nuit au chevet du malade? Quel moyen prendrons-nous pour assurer le relais à l'hôpital? Que mangera-t-on? Qui annulera son hockey, son cour de musculation ou sa soirée entre amis? Tant de questions auxquelles il faut tout à coup répondre, et ce, malgré l'épuisement et l'usure. Plus encore, il faut s'assurer de ne jamais craquer en même temps! Si papa est à terre, maman est d'affaire, si maman s'écrase, papa est en contrôle! Comme les microbes ne nous consultent jamais avant de frapper, nous avons dû, à tour de rôle, sacrifier nos anniversaires, nos vacances ou le réveillon de Noël pour être au chevet de l'un de nos petits. Après six ans, je suis fière de dire que nous gérons désormais les crises avec brio et que nous sommes certainement plus complices et plus forts que nous ne l'aurions été sans tous ces épisodes de maladie!

J'ai maintenant l'expérience nécessaire pour dresser la liste des qualités requises pour être une bonne infirmière. Après plusieurs années d'observation, j'ai appris à reconnaître celles (et ceux) qui font bien leur travail. Aspirantes infirmières, voici quelques conseils qui pourraient vous transformer en superhéroïnes aux yeux de nombreux parents:

1. Sachez examiner un bébé sans le réveiller. Peu importe l'heure de la journée, le sommeil d'un enfant doit être pris très au sérieux et interrompu seulement en cas d'extrême nécessité.

2. Apprenez à vous déplacer sans bruit, surtout lorsque vous entrez dans la chambre d'un petit patient. On doit à peine remarquer votre présence.

3. Faites un suivi fréquent auprès des parents pour les tenir informés. On aime savoir ce qui se passe!

4. De grâce, sachez installer un cathéter sans vous y reprendre par trois fois!

5. Lors des prises de sang, n'hésitez pas à trouver une veine potentielle quand le talon d'un bébé n'en peut plus d'être comprimé, peu importe que ce soit «la procédure» ou non.

6. Surtout, ne dites JAMAIS à une maman qui pleure que vous ne comprenez pas pourquoi elle le fait. Elle a raison de pleurer, peu importe le contexte.

7. Avant de faire plein de «guiliguilis» à un enfant, saluez d'abord ses parents.

8. Lorsque vous avez vous-même un rhume, par pitié, portez un masque et des gants! Vous voir éternuer devant notre enfant qui n'arrive pas à reprendre le dessus depuis des mois est un véritable affront. Je ne rends même pas visite à ma propre mère lorsqu'elle a un rhume, de peur que mes jeunes l'attrapent...

9. La nuit, apprenez à voir dans le noir, les néons ne sont pas acceptables.

10. Par pitié, ne revenez pas malmener notre petit trois fois en une heure pour différentes interventions; ayez le sens de l'organisation pour tout réaliser d'un coup et le faire pleurer une seule fois.

À mon avis, le test suprême de la superinfirmière consiste à s'assurer qu'elle sache prendre la température rectale d'un bébé sans réveiller le patient... ni sa maman! Chapeau à celles qui y parviennent!

J'adore les infirmières qui osent défier les protocoles par pur bon sens! Quand vient l'heure de dormir, tous conviendront que l'hôpital est un milieu rempli d'obstacles. Particulièrement pour un bébé! Les lumières, le bruit, les éclats de voix, les pleurs, les examens incessants, les prises de température... Plusieurs des médicaments administrés en cas de difficultés respiratoires sont des excitants, alors une fois traités, mes enfants se retrouvent souvent dans un état euphorique inimaginable! Ils ont l'air sur le crack, je vous le dis! Mon petit Jonas, déjà très actif, n'en finissait plus de faire des roulades dans sa couchette. Des roulades sur le tapis du salon, ça va. Mais des roulades quand on a un soluté au bras, un capteur pour l'oxygène à l'orteil ou des lunettes nasales, ça devient tout un sport! Après une minute, il était tellement empêtré qu'il a fallu deux préposés pour m'aider à le sortir de sa fâcheuse position. Pour moi, la solution la plus logique était donc de l'endormir dans son siège de bébé ou dans sa poussette. Contraint de se calmer, il s'y endormait facilement et les infirmières pouvaient quand même l'examiner sans difficulté et, surtout, sans le réveiller! Mais voilà, ce n'est pas le genre de chose permise par le protocole; l'enfant DOIT dormir dans sa couchette. Point final. Plusieurs infirmières se sont entêtées à appliquer le règlement, même après avoir vu Jonas empêtré et incapable de dormir. C'était si frustrant d'avoir une solution à portée de main et de se la voir interdire... Mais certaines ont eu l'ouverture, je dirais même l'intelligence, de passer outre les procédures afin de permettre à mon enfant de dormir et de récupérer, de guérir, quoi! Et je leur en serai éternellement reconnaissante.

Notre façon d'affronter la vie dépend de l'angle sous lequel on choisit de regarder les événements. On peut voir une opportunité dans une injustice, on peut trouver de la force dans nos malheurs. C'est la stratégie que nous avons choisi d'adopter, mon bel Adonis et moi. Certes, mon cœur de maman vieillira sans doute prématurément et on m'entendra me plaindre de tous ces cheveux blancs apparus subitement, mais ces expériences avec la maladie nous auront formés, marqués, et auront tissé entre nous des liens encore plus solides. Et la vie, le simple don de la vie, aura pris beaucoup, beaucoup de valeur avec les épreuves.

# 36 DD

Humeurs de femmes
Indéchiffrables
Les larmes et la joie
Entremêlées
Sans savoir pourquoi...
Ni trop y penser

D'aussi loin que je me souvienne, ma grand-mère maternelle a toujours eu ce que nous avions coutume d'appeler des «tablettes». Je ne sais pas s'il existe une taille de soutien-gorge pour qualifier ses attributs, mais quoi qu'il en soit, on aurait pu déposer sans risque un service à vaisselle complet sur sa poitrine. Quant à mon arrière-grand-mère, on m'a raconté qu'elle avait l'habitude de ranger harmonica, mouchoirs et porte-monnaie dans son soutien-gorge. Ayant de qui tenir, disons que ma mère n'est pas à plaindre non plus... Vous me voyez venir? Eh oui, la génétique m'a fait don de deux remarquables melons.

Pas que je n'aime pas les poitrines généreuses, au contraire. Il m'arrive souvent d'être satisfaite des attributs dont la nature m'a pourvue. Du A, ce n'est pas pour moi, car le reste de mon corps n'est pas du genre rachitique. J'ai de bonnes hanches, des fesses qui ne donnent pas leur place et d'indescriptibles cuisses dodues qui ont oublié d'être fermes à l'intérieur. J'ai donc besoin de ma généreuse poitrine pour rétablir l'équilibre!

Pourquoi un texte sur mes seins? Parce qu'au même titre que mes enfants, mon mari ou mes parents, ils m'ont fait vivre suffisamment d'émotions fortes pour mériter cette attention!

Je me rappelle mes dix ans... J'étais la seule de cet âge à être déjà développée. Aujourd'hui, il semble que ce soit le bonheur total lorsque ces petites choses surgissent. Or, dans mon temps (voilà une expression qui me fait jubiler!), c'était la honte. J'essayais donc de camoufler ces indésirables du mieux que je pouvais. J'ai dû passer un an les bras croisés sur la poitrine, pensant déjouer l'attention de mes camarades.

Il m'aura fallu attendre longtemps avant que mes amies franchissent à leur tour cette étape glorieuse de la puberté. Malgré tout, impossible pour moi de faire oublier mes attributs plus généreux que la moyenne, car on me les rappelait sans cesse. Les gars à p'tite-moustache-molle-et-laide qui étaient dans ma classe se montraient tout à coup très inventifs quand venait le temps de se lancer des défis à mes dépens. Je me retrouvais donc avec des mains qui frôlaient «subtilement» ma poitrine, des insinuations salaces et des ricanements mesquins. À l'adolescence, un rien nous insécurise. Je n'avais pas la confiance nécessaire pour assumer une telle poitrine: à mes yeux, elle me rendait «différente».

J'aurais bien aimé pouvoir compter sur le soutien de la gent féminine, mais nous n'étions pas de cette nouvelle génération de jeunes qui parlent de leur corps comme elles révèlent ce qu'elles ont mangé pour dîner. Nous étions pudiques. Presque trop. Les seules qui m'accordaient de l'attention, c'étaient les jalouses. Celles qui auraient désespérément aimé avoir cette attention des garçons, attention que je leur aurais volontiers cédée! Elles me lançaient des commentaires, faisaient des blagues douteuses sur mon équilibre ou sur les vêtements que je portais, etc. La première fois que j'ai entendu parler de réduction mammaire, ça venait de l'une d'elles. Estomaquée par ma tenue plus cintrée qu'à l'habitude – un chandail bleu que je n'ai d'ailleurs jamais remis –, elle m'avait lancé sèchement:

– Tu sais, il y a des opérations pour ça!

Je n'ai trouvé aucune réponse cinglante à lui envoyer sur le coup. En fait, je n'étais pas certaine de savoir de quoi elle parlait, alors je l'ai ignorée. Je suis toutefois retournée chez moi perturbée par la soudaine possibilité d'une «solution» à mon problème.

Puis ce fut au tour de ma propre mère de se mettre de la partie. J'avais toujours refusé d'admettre que mes parents puissent être conscients de la métamorphose que subissait mon corps d'adolescente. À ce chapitre, je me plaisais à les imaginer aveugles, ou tout simplement stupides, me disant qu'ils n'avaient pas remarqué les deux monts Everest qui avaient poussé ces dernières années. Mais cet après-midi-là, en voiture, ma tendre maman m'obligea à me rendre à l'évidence.

– Tu sais, quand j'étais jeune, j'avais beaucoup de poitrine moi aussi. Aujourd'hui, ça paraît moins parce que je suis plus vieille, mais à l'école, ce n'était pas toujours drôle.

J'aurais pu lire, dans ce touchant témoignage, cette solidarité féminine tant cherchée. Mais j'étais figée dans un malaise insupportable. Ma mère qui me parlait de ses seins... et des miens, par la bande!

– À la piscine, les garçons me taquinaient souvent, continua-t-elle à mon plus grand désespoir. Ils me demandaient s'ils pouvaient vérifier que c'étaient des vrais. Tu sais, maintenant il existe des opérations pour ça.

Et de deux!

– Si ç'avait existé dans mon temps, je l'aurais fait. Alors si tu veux qu'on en parle...

Je ne me souviens même pas de lui avoir répondu... Dès notre arrivée à la maison, j'ai bondi hors de la voiture, pétrifiée par l'idée que ma mère – et donc forcément mon père! – avaient remarqué ce changement, eux aussi, et que je ne pourrais plus m'en cacher. Je n'ai pas pris la peine d'écouter l'offre sérieuse que me faisait ma mère. Une offre qui aurait pourtant pu me permettre d'avoir des formes qui ne me gêneraient plus. Je n'étais pas prête à l'entendre. Mais mon cerveau, lui, avait enregistré l'information.

Quelques semaines plus tard arriva LA journée. Celle qui allait être de trop. Une de ces journées qui changent tout, qui donnent une direction différente à notre vie. Une journée d'école, apparemment normale, et un cours d'éducation physique. Même si j'appréciais beaucoup le sport et le bien-être inhérent au fait de bouger son corps, je n'étais pas particulièrement enchantée à l'idée de ces cours. Monsieur D. était un professeur amusant et sympathique, mais peu attentif à la psychologie féminine et aux malaises inévitables que peuvent entraîner certaines activités physiques pour des adolescentes en plein développement. Je me souviens de m'être tracassée plus d'une fois pour trouver une façon d'empêcher ma poitrine de ballotter avec trop d'ardeur pendant ce cours. Ce que j'ai trouvé de mieux? Superposer deux soutiens-gorge pour mieux immobiliser le tout. J'aurais eu grandement besoin qu'on me donne quelques notions de base sur les brassières de sport et sur la taille qui m'irait. Était-ce à monsieur D. de faire ce travail? Certainement pas.

Et donc, ainsi accoutrée, je tâchais de faire abstraction des sourires en coin de mes camarades de classe.

Ce jour-là, le volleyball était à l'horaire. Je n'étais pas habile à ce sport (ni à aucun autre...), mais je donnais tout ce que j'avais et faisais de mon mieux pour donner la victoire à mon équipe. J'avais beau me démener, les gars supermusclés bondissaient devant moi à tout coup pour frapper le ballon à ma place. Visiblement, je n'avais pas leur confiance et ils préféraient s'occuper eux-mêmes du ballon, croyant à tort que ça ferait aussi mon affaire.

Enfin, j'eus ma chance de leur montrer ce dont j'étais capable. Le ballon arrivait directement sur moi et aucun mec supermusclé n'était en vue. Je pris la position enseignée, les bras tendus devant, les poings serrés, pouces ouverts, l'un contre l'autre... j'étais prête! Déterminée à ne pas le manquer, je ne quittai pas le ballon des yeux. Cette fois, je me sentais en contrôle. Et puis, plus rien. Le ballon avait disparu. Les rires commencèrent à fuser. Quelques garçons se tenaient les côtes, morts de rire. Même mes amies ne purent s'empêcher de sourire et de pouffer. Je compris alors avec stupeur ce qui venait de se passer: le ballon n'avait pas rebondi, il était coincé! Entre mes avant-bras et ma poitrine, la mettant de nouveau sous les feux des projecteurs.

Mon bel Adonis m'expliqua plus tard qu'ils avaient surtout ri de ma maladresse, mais pour moi, tous ces rires étaient dirigés vers ce que je m'évertuais à faire oublier: mes seins, encore et toujours eux. C'était plus que je ne pouvais en supporter. Pour la première fois de ma carrière d'étudiante, je claquai la porte de mon cours sans un mot au prof, et je m'enfuis de l'école en courant, les rires persistant comme un écho dans ma tête. J'errai quelques heures dans les rues avoisinantes, incapable de rebrousser chemin et d'aller affronter le regard de mes semblables.

À la maison ce soir-là, je mis le pied dans l'entrée en faisant une annonce solennelle :

– Je veux me faire opérer les seins, maman. Appelle, prends rendez-vous, je veux qu'on m'en enlève.

Une décision impulsive, bien sûr, mais cet événement a été ce dont j'avais besoin pour me donner le courage de prendre les choses en mains. Ma mère n'a pas posé de question. Elle a acquiescé, a pris le téléphone et a appelé le médecin qui avait opéré ma cousine l'été précédent, et dont elle avait gardé précieusement le numéro. Je crois qu'elle a tout de suite compris, qu'elle a deviné le genre de journée que je venais de vivre. Elle savait, sans que j'aie à lui raconter cet épisode humiliant.

Quelques semaines plus tard, je rencontrai ce médecin qui allait changer ma vie. J'avais mon premier rendez-vous avec le docteur X. Je vous rappelle, pour les besoins de la cause, que j'avais quinze ans et que j'étais très pudique. Je me baignais flanquée d'un t-shirt et je ne me changeais jamais dans un lieu public, ni même devant ma propre sœur!

Alors imaginez ma gêne, nue jusqu'à la taille devant ce médecin qui manipulait allègrement mes immenses seins dont je ne voulais plus.

Il se tenait derrière moi, essayant de les écraser pour me donner une idée du résultat escompté. Et pour agrémenter le tout, un gigantesque miroir nous faisait face... Docteur X parlait, empoignait, parlait, soulevait, parlait encore... et moi je survivais. Cependant, j'étais consciente que je devais passer par là pour atteindre mon but. Hors de question de me désister. J'étais assez déterminée pour mettre ma pudeur de côté, pour laisser un docteur être le premier à me toucher de manière aussi intime, pour supporter le fait que ma mère, assise de l'autre côté du paravent, entendait tous les commentaires et devinait le spectacle.

Après tout ce tripotage, le médecin en vint à la conclusion que, malgré mon jeune âge, j'étais la candidate parfaite pour une réduction mammaire.

J'ouvre ici une parenthèse pour préciser qu'il y a une différence significative entre: 1) être la candidate parfaite pour un emploi, un concours, un projet, un film, une œuvre d'art, une photo, et 2) être la candidate parfaite pour une réduction mammaire. Disons que l'un des deux est plus glorifiant que l'autre... Fin de la parenthèse.

On fixa donc une date pour l'opération et je rentrai chez moi, déterminée à perdre quelques kilos avant le jour fatidique. Après quelques mois à combler mes fringales avec du Jell-O sans sucre, j'avais trois kilos en moins et j'étais prête à me défaire d'une partie de mes deux immenses aberrations qui, elles, n'avaient pas diminué d'un poil malgré mon régime.

Jour J. Bien propre et, surtout, très stressée, je me présentai en salle d'opération, prête à retrouver mon «boucher». Mais en balayant la pièce du regard, je m'aperçus que j'allais devoir mettre mon orgueil de côté une fois de plus; docteur X n'était pas seul! À ses côtés se trouvait une escorte composée de deux internes, beaux, jeunes, forts et fringants... J'ordonnai à mon cerveau de ne plus réfléchir; si je ne voulais pas me sauver en courant, je devais le mettre en mode «robot». Mon médecin se mit alors à l'œuvre et le crayon feutre précéda le scalpel, pendant que ses stagiaires scrutaient à la loupe ses croquis. Un mince drap me recouvrait de la taille aux chevilles. Lorsqu'on m'administra l'anesthésiant, j'étais prête. Prête à me réveiller différente, légère, mieux dans ma peau. Mes paupières se fermèrent, mes muscles cessèrent de répondre, mais mon cerveau fonctionnait toujours. Juste assez, du moins, pour sentir qu'on retirait le drap d'un coup, m'enlevant le peu de dignité qui me restait. Je voulus hurler, mais aucun son ne sortit de ma bouche. Je voulus les implorer, les supplier de laisser le drap en place, rien à faire, je n'avais plus le contrôle. Puis je m'endormis, impuissante et humiliée.

À mon réveil, j'ai erré plusieurs heures entre le monde réel et celui du rêve. Lorsque je repris enfin mes esprits, je me hâtai de toucher ma poitrine. On m'avait bandée du cou jusqu'à la taille, mais à travers le pansement, je sentis deux bosses, toutes petites, et je fus aussitôt soulagée. Le lendemain, je pus me lever et j'entrepris d'aller me regarder dans un miroir. En enlevant mon bandage, j'eus une révélation: le docteur X était un génie! Un grand artiste, un talentueux magicien! Ils étaient p-a-r-f-a-i-t-s. Fantastiques. Je me sentais légère, libérée, NORMALE!!!

Je vous mentirais si je vous disais que les semaines suivantes n'ont été que pur bonheur ; bien sûr, j'ai ressenti de la douleur ! J'ai peu dormi et je n'ai pas pu reprendre mes activités avant quelques mois. Mais le résultat en valait la peine. Il ne se passe pas une journée sans que je me félicite d'avoir pris cette décision et que je rende hommage au docteur X en pensée. Pourtant, je ne suis pas particulièrement en faveur de la chirurgie esthétique ; je pense que vieillir doit laisser quelques marques, que des lèvres doivent pouvoir faire autre chose qu'une moue boudeuse et qu'un front sans plis est un peu étrange à soixante ans... Mais pour moi, cette opération a fait toute la différence. Elle m'a permis d'enlever cet irritant qui me ravageait l'estime, de reprendre confiance, de vivre plus « normalement » sans avoir à me cacher tout le temps. Voilà à quoi doit servir ce genre de chirurgie, selon moi, et non pas à devenir quelqu'un d'autre ou à combattre l'inévitable.

Quinze ans plus tard, l'œuvre magnifique du docteur X n'est plus intacte, évidemment. Trois grossesses ont suffi à faire regonfler le tout et je me retrouve à nouveau avec une forte poitrine. Mais j'ai eu le temps de vieillir, de m'assumer et de m'aimer suffisamment pour bien vivre avec mon héritage génétique. C'est donc une histoire de seins... qui finit bien !

# À vous, veuves de *Warcraft*

Tu t'abreuves à ce monde fantastique
Nous t'attendons ici
Nous t'espérons, patients
Alors que tu t'enfuis

Nous sommes des centaines, que dis-je, des milliers. Exaspérées, découragées, perplexes, délaissées au profit d'un yéti, d'un dragon ou d'un gnome. Nous avons l'impression de ne plus exister, de disparaître. Même nos plus grands charmes deviennent inutiles. Nous nous battons contre quelque chose de grand, d'immense, de plus fort que nous. Quelque chose d'irréel, pourtant. Mais nous continuons la lutte parce que nous aimons nos conjoints. Parce que nous ne pouvons nous résoudre à céder, à sacrifier nos vies à l'irréel. Nous sommes des femmes fortes et endurantes. Nous sommes... les veuves de *World of Warcraft*[5].

---

5. *World of Warcraft* est un jeu vidéo développé par la société Blizzard Entertainment et lancé sur le marché nord-américain en 2004. Il figure dans le livre des records Guinness comme le jeu ayant la plus grande popularité de tous les temps. (Source: Wikipédia.)

Mon Adonis a toujours aimé les jeux d'ordinateur. Jusqu'à ce qu'il tombe sur celui-là, c'était un loisir comme un autre, un passe-temps plutôt raisonnable et gérable. Entre vous et moi, un passe-temps pas très *sexy*, cependant... Quelle femme peut regarder son homme, courbé (voire recroquevillé) devant son écran, absorbé, les yeux vitreux, écarquillés, et le trouver viril et séduisant dans cette étrange position reptilienne? Et que dire des bruits gutturaux déconcertants qu'il émet ou des soubresauts de ses membres pendant une attaque de l'ennemi! Il est loin d'être à son meilleur!

Si au moins il pouvait arrêter de jouer quelques minutes, mettre fin à une partie en plein milieu d'une bataille ou appuyer sur «pause» quand la vraie vie l'appelle, on pourrait accepter de voir son homme s'infantiliser quelques heures par semaine. Mais *World of Warcraft*, c'est différent. Dans ce jeu, s'arrêter n'est pas une option et le bouton «pause» n'existe pas. Comme je voudrais, mesdames, tenir entre mes mains le perfide concepteur de cette calamité! Était-il conscient de toutes ces familles qu'il allait saccager, de ces couples dont il viendrait à bout? Je suis certaine qu'à nous toutes, veuves de *Warcraft*, on pourrait lui faire un procès. L'accuser de destruction massive de bonheur, de voie de fait contre l'estime de soi et de dommages prémédités envers les familles.

## À vous, veuves de *Warcraft*

Quand mon homme a commencé à y jouer, j'ai pensé que ça ne durerait pas, que ça allait lui passer. Puis, désillusionnée, j'ai insisté pour qu'il ne joue qu'une fois les enfants couchés (ce qui lui donne tout de même un généreux quatre heures par jour). Rien à faire. Dès que j'ai le dos tourné, dès que je sors faire une course, il ne peut résister à l'appel. Et le soir, quand j'ai l'audace de croire que je pourrais interrompre sa partie en faisant ma coquine, je suis mise K.-O. par son yéti ou je ne sais quelle bestiole, qu'il manipule avec frénésie.

Mesdames, voici ce que j'ai à vous dire : vous valez plus qu'un dragon virtuel ! Ne lâchez pas prise, car votre homme, malgré les apparences, le sait. Il sait que ses enfants sont plus réels qu'une mission virtuelle. Il sait que sa femme a plus de splendeur que son vulgaire yéti. Mais il est malade, pris au piège, au même titre qu'un dépendant de la coke ou des jeux de hasard. Depuis que je vois les choses sous cet angle, je suis moins incisive, moins méprisante, plus tolérante envers mon Adonis. Et je crois que j'obtiens ainsi de meilleurs résultats que quand je livrais une guerre ouverte à son maudit jeu ! Je tente de lui faire comprendre que sacrifier des moments magiques en famille pour jouer compulsivement est inconcevable, que la vie est plus belle, plus vraie, plus grande que tous ces tableaux imaginaires.

Mesdames, si vous baissez les bras et abandonnez votre homme parce que vous avez l'impression qu'il a fait son choix, eh bien, *Warcraft* aura gagné! Si votre conjoint en vaut la peine, si vous êtes toujours attachée à lui, retournez au combat à coups de déshabillés, de soirées en amoureux et de moments en famille. Il faut lui donner envie de plonger dans votre univers comme il le fait devant son écran. Votre homme fera encore parfois le mauvais choix, c'est certain, mais je pense que plus on sera drôles, attirantes et agréables, plus près sera la victoire. Laissons tomber les remontrances, ils sont déjà conscients de l'absurdité de leur dépendance...

Je vous offre donc tout mon soutien, chères veuves de *Warcraft*, et je désire, par cette petite tranche de vie, vous faire sentir l'appui d'une femme qui, comme vous, s'est heurtée à cet empire destructeur.

Hourra pour le monde réel!

# Maternité, sadisme et enchantement

Leurs francs sourires sont de l'or
Leurs yeux, rieurs, des trésors
Je les regarde et les accueille
Fierté dans l'âme, fierté dans l'œil

J'ai eu beau accueillir trois magnifiques enfants dans ma vie, je suis toujours fascinée par un phénomène qui me dépasse : le désir d'être parent. Pourtant, je l'ai ressenti, ce besoin, au fond des tripes, de consacrer ma vie à un petit, mais mon cerveau n'arrive pas à le rationnaliser. Une personne le moindrement sensée aura tôt fait de conclure que des enfants, c'est tout un contrat ! Qui peut délibérément vouloir arrêter de dormir, être sollicité au minimum vingt fois par heure, et ce, jour et nuit, ramasser des excréments, du vomi, régler des chicanes ridicules, avoir du bruit sans arrêt dans sa maison, des jouets partout et des miettes sous la table en permanence ? Qui peut *choisir* de subir neuf mois de torture physique, de se laisser déformer le ventre, de prendre dix-huit kilos qui (eh non !) ne partiront pas sans effort ?

J'ai fait ce choix, comme tant d'autres. Mais je n'arrive toujours pas à expliquer pourquoi, même après trois enfants. Sans doute une sorte d'instinct de survie, me dira-t-on. Est-ce une hormone qui efface toute trace de bon sens de notre cerveau ? Un spasme neuronal qui fait rage jusqu'à ce qu'on cède et qu'on conçoive un enfant ? Un truc spirituel ? Un besoin de l'âme qui ne saurait être comblée sans la reproduction ?

Quoi qu'il en soit, une chance que ce phénomène existe ! Si j'avais écouté mon cerveau, j'aurais choisi la tranquillité, l'indépendance, la liberté, la propreté, la paix. Je n'aurais jamais connu ces instants si précieux et intensément vrais que les enfants nous font vivre, ces instants qui nous rapprochent du sens suprême de la vie. Des bonheurs purs, innocents, apaisants. Tant de contradictions naissent de l'expérience de la maternité !

Je me souviens de mon premier moment de panique. Le cerveau en mode veille, j'avais vécu la grossesse de Mia sans inquiétude, me sentant naïvement prête à m'occuper d'un premier enfant. Même après l'arrivée de cette fillette dodue, mignonne et si paisible, aucun signal d'alarme n'a retenti en moi. J'ai passé quatre jours à l'hôpital, mon bébé contre moi, loin de toute forme d'angoisse. Et puis arriva le jour de notre retour à la maison. Là, sans prévenir, je retrouvai tout à coup ma lucidité. Comme si les astucieuses hormones avaient jusque-là endormi ma capacité à réfléchir et qu'elles avaient à présent terminé leur quart de travail. Je me suis donc retrouvée sur ma chaise berçante, pétrifiée par la réalité : nous avions fait un *bébé*! Elle était à nous, nous DEVIONS nous en occuper et personne d'autre n'allait le faire à notre place. Après des mois d'abrutissement, je me suis mise à réfléchir... Je n'avais pas acheté de biberons ni de lait maternisé et j'avais de la difficulté à allaiter! Panique! J'étais fatiguée et j'allais devoir me lever aux trois heures toutes les nuits ?! Panique! Et si elle pleurait sans que je sache pourquoi, si nous n'arrivions pas à la calmer ?! Panique to-ta-le!

Tout est devenu une montagne. Puis, petit à petit, nous avons trouvé notre rythme à trois et nous avons constaté que nous avions des chances de survivre. La vie a repris son cours, ponctuée de ces instants de lucidité où je me demandais encore ce qui nous avait pris. J'ai d'ailleurs en tête un moment précis, où le fait d'avoir un enfant m'a paru être l'apothéose de la folie. Déterminée à perdre les kilos accumulés pendant ma grossesse, je m'entraînais quatre fois par semaine au gym et mes genoux commençaient à supporter difficilement cet effort soutenu. Mon genou droit a d'ailleurs revendiqué un repos en me lâchant d'un coup. Je n'arrivais plus à marcher. Armée d'une canne héritée de mon grand-père, j'ai passé deux mois à clopiner d'un rendez-vous à l'autre, ma petite Mia sous le bras, pour tenter de régler mon problème. Je trouvais assez ardu de m'occuper d'un bébé de huit mois avec une seule jambe fonctionnelle, et je commençais à être épuisée de tout ce casse-tête. Mais je me débrouillais tant bien que mal. Jusqu'à ce que les virus et les difficultés respiratoires se mettent de la partie... À l'urgence, lors de la première d'une longue série de visites, le médecin nous a dit qu'il s'agissait d'un virus et il nous a laissées repartir, non sans une prédiction lugubre :

– Ne vous étonnez pas si elle se met à vomir dans les prochains jours. Le virus qui circule présentement s'attaque d'abord au système respiratoire, puis il se jette dans le système digestif. Ensuite, elle ira mieux.

Je n'étais pas prête à affronter cette éventualité, alors j'ai intentionnellement fait abstraction de ses paroles. Sur le chemin du retour, j'ai même eu la brillante d'idée d'aller seule à l'épicerie avec Mia. Toujours sur une patte, j'ai installé ma fille dans un panier et j'ai sautillé pour entasser un minimum de vivres dans le chariot. Le retour ne fut pas simple; comment apporter un bébé et des provisions dans la maison sur une seule jambe? Non sans peine et en sacrifiant ce qu'il me restait de grâce et de fierté, j'y parvins néanmoins et là, LÀ arriva ce moment précis gravé dans ma mémoire.

Bien emmaillotée dans son habit de neige, Mia décida d'accomplir les prédictions du docteur. Assise sur le comptoir de la cuisine, elle s'est mise à vomir des litres et des litres de… je ne sais quoi. J'ai cette image claire en tête: moi, sur une jambe, qui tiens ma fille d'une main alors que le contenu de son estomac est projeté dans mes sacs de provisions, dans mes cheveux et dans tous les coins de la cuisine. Le déluge terminé, je contemplai le tout, n'osant pas bouger. À cet instant précis, j'étais incapable de me rappeler pourquoi j'avais fait le choix d'être maman. Avais-je vraiment choisi de me retrouver dans ce décor nauséeux? Je devais être complètement folle! Après une bonne crise de pleurs (salutaire), j'ai tiré en rampant ma malodorante progéniture à l'étage pour la mettre dans le bain. Une fois nos deux corps bien propres, la cuisine m'attendait toujours avec ses sacs de provisions irrécupérables et son plancher maculé, que j'ai nettoyé à quatre pattes en laissant ma canne de côté.

Toutes les mamans (et sans doute les papas) vivent un jour ou l'autre ce genre de situation; elles se jurent alors de ne plus avoir d'autre enfant. Et puis les jours passent et l'inexplicable phénomène se produit à nouveau. On ne réfléchit plus, on trouve notre petit si mignon, on a envie d'en sentir bouger un autre dans notre bedon et on remet ça! Une deuxième grossesse, un deuxième bébé. Pourtant, on sait ce qui nous attend! Mais la magie de ce phénomène, c'est qu'il nous force à en faire abstraction.

Mon premier fils nous a fait vivre ce genre de moments «mais qu'est-ce qu'on a fait?!» plus souvent qu'à son tour. Je me souviens de nombreuses nuits blanches, longues, avec mon petit qui n'en finissait plus d'être malade et de hurler. Je me souviens d'avoir pleuré, parfois plus fort que lui, de désespoir et d'impuissance, avec l'impression de ne plus avoir la force d'être une maman.

Un jour, alors que nous avions eu le courage (ou la stupidité) d'emmener les enfants en camping, j'ai décidé d'aller prendre ma douche avec mon petit bonhomme. Stratégique, je me suis d'abord occupée de le savonner, espérant avoir ensuite droit à quelques minutes pour me rendre moi-même présentable. Mais c'était mal le connaître! Il a dû se dire:

« Pourquoi attendre ma maman, moi qui, tout propre, pourrais aller découvrir le monde sur-le-champ? » En quelques secondes, il avait filé. J'étais en sous-vêtements (et pas des sous-vêtements mignons, ceux vraiment moches qu'on porte en camping) et je devais choisir entre mon fils et ma dignité! Je me suis élancée, enfilant mon chandail au passage, pour partir à sa suite dans le camping. Il adorait me voir courir, hurlant derrière lui. C'était ça, le comble du bonheur, pour Alek. Habile sur ses deux pattes, il m'a fait galoper plusieurs mètres en bobettes avant que j'arrive à le rattraper. Humiliée, j'ai sauvé mon inconscient de fils en mettant de côté mon orgueil et ma fierté.

Bien sûr, ce genre d'événement ne m'empêche pas de l'aimer follement... Alek est un enfant magnifique, avec ses grands yeux de biche, foncés, un peu tristounets, ses lèvres parfaites et son nez qui retrousse quand il sourit. Il a quelque chose de touchant. Dans son visage, des traits particuliers, mais doux et réguliers. La vie est bien faite : pour compenser la charge de travail qui allait venir avec cet enfant, il fallait qu'il soit un chef-d'œuvre! Son joli minois devait nous faire oublier tous nos tracas. Parce qu'il y en a eu... Affublé de je ne sais quel inconfort, nourrisson, il n'arrivait pas à boire correctement. Il le faisait par nécessité, mais s'interrompait de hurlements stridents que nous ne savions pas déchiffrer. Le jour, il ne dormait jamais plus de vingt minutes consécutives sans se mettre à hurler. La nuit, il pouvait parfois filer pendant deux heures, maximum. Inexplicable insomnie. Ajoutez à cela une santé fragile à cause de ses voies respiratoires défaillantes et de ses oreilles prédisposées aux otites résistantes. Nous avons couru les hôpitaux dès qu'il a eu deux mois et, aujourd'hui, il reprend à peine le dessus.

Si, à tout le moins, il avait eu un caractère facile, une certaine retenue ou une petite dose de docilité! Il a plutôt un caractère explosif, expressif et empressé. Pour lui, pas question d'attendre ou de tolérer. Il revendique, manifeste, s'insurge et proteste. Des caractéristiques qui lui serviront sans doute un jour, mais qui ont fait de lui un bébé ayant mis à l'épreuve tout son entourage. Il a testé nos limites, a heurté, sans ménagement, la solidité de notre amour, de notre famille.

Et nous l'aimons. Nous l'aimons, ce cataclysme qui a secoué nos vies et nous a rendus meilleurs. Nous ne pourrions plus vivre sans ses couleurs, son enthousiasme unique, ses troubles de l'humeur précoces. Depuis quelques mois, il utilise une expression qui décrit à merveille sa personnalité.

Lorsqu'il veut quelque chose en grande quantité, au lieu d'utiliser l'adjectif «beaucoup», il utilise le mot «trop».

– Maman, veux trop d'eau.

– Tu veux dire que tu en veux *beaucoup*?

– Non! Pas beaucoup! Trop!!!

Il réclame ainsi trop de bisous, trop de nourriture, trop de visites au parc... tout doit être trop. Parce que beaucoup ne suffit pas. Pourquoi en vouloir beaucoup quand on peut en avoir trop? Même son imagination est extrême. Il cherche des pieuvres sous son lit, il parle avec les araignées, il est triste pour la terre parce qu'il se dit qu'elle doit être étourdie à tourner comme ça... C'est tout lui, ça, mon fils sans demi-mesure.

Tout récemment, notre petit dernier est né. Jonas. Nous l'avons attendu avec joie, mais aussi avec certaines craintes. Notre expérience avec Alek était encore bien fraîche dans notre mémoire et nous craignions de ne pas avoir la force de repasser par là. On ne sait jamais, pendant une grossesse, comment sera notre bébé. On a pour seuls indices quelques coups de pied, des hoquets réguliers et des vagues dans le ventre plus ou moins vigoureuses.

Jonas est la preuve que la vie est bien faite. C'est un bébé soleil. Il était calme dès sa naissance. Je me souviens de ses premiers cris. Je m'attendais à l'entendre hurler comme le font tous les nouveau-nés, mais il s'est rapidement apaisé de lui-même. Avant même qu'on l'ait emmailloté, il avait ouvert les yeux, serein, couinant à peine de temps en temps, avec l'air de vouloir qu'on lui explique ce qui venait de lui arriver.

Pas qu'il soit doté d'une meilleure santé, au contraire, il est assez éprouvé au niveau respiratoire lui aussi, mais même dans les moins bons moments, il a les yeux rieurs, il s'agite dès qu'on lui parle, il roucoule et gazouille, joyeux. Il nous *fallait* Jonas et nous ne le savions pas. Pour compléter notre famille, pour soulager quelques blessures et amoindrir certains traumatismes. Il nous était, sans aucun doute, destiné.

Adolescente, je me rappelle avoir dit et pensé que si je devais arriver à la fin de ma vie sans avoir eu des enfants et bâti une famille, ce serait à mes yeux un grand échec. Au cégep, alors que je ne m'étais pas encore dévoilée à mon bel Adonis et que nous nous côtoyions amicalement, je lui ai posé une question un soir. Une question existentielle, du genre de celles que les hommes ont plutôt tendance à éviter.

– Toi, c'est quoi la chose que tu tiens le plus à faire avant de mourir ?

Nous sortions de nos cours, le soleil était déjà couché, le froid mordant de l'hiver nous prenait d'assaut. Je le sentais peu bavard, presque morose. Il n'était pas très enthousiaste à l'idée d'avoir ce genre de discussion. La vapeur hivernale s'échappait de son cache-cou et ses yeux se plissaient, comme s'il faisait un effort pour réfléchir.

– Si je meurs sans avoir eu une famille à moi, sans avoir eu d'enfants, j'aurai raté ma vie, c'est sûr.

Même si nos aspirations, à cette époque, semblaient très différentes, sa réponse me donna une raison de croire que c'était possible entre nous. Comme moi, il avait ce besoin. Peut-être mieux camouflé, un peu plus enfoui derrière sa façade, mais à la base, nous aspirions tous les deux à avoir un ou plusieurs descendants. Nous ne savions pas qu'à ce chapitre nous formerions un jour une équipe formidable et qu'ensemble nous atteindrions cette apothéose.

À force de réflexion et même si je ne suis pas encore arrivée à une réponse claire, je pense avoir trouvé quelques pistes pour comprendre ce mystère qui nous pousse à devenir parent.

Quand on met un enfant au monde, on s'accomplit pleinement. On a la tâche de présenter un enfant à la vie, et vice versa. « Mon enfant, je te présente La Vie. La Vie, voici mon enfant. Faites connaissance! » Lorsque ma fille me fait part de sa façon de voir le monde, je nous reconnais, son père et moi. Nous avons mélangé nos visions du monde, nous lui avons fait vivre toutes sortes d'expériences et la voilà qui, à sa manière, se construit un univers qui sera pour toujours le sien! J'aime lorsqu'elle partage avec moi des bribes de cet univers:

– Maman, est-ce que tout le monde fait la même chose que nous en même temps que nous?

– Non, Mia, chacun fait ce qu'il veut.

– Mais quand on va au magasin, pourquoi tout le monde vient en même temps que nous ?

– Ce n'est pas tout le monde, seulement quelques personnes qui ont eu la même idée en même temps que nous!

Et ma fille de conclure sur un ton sérieux et très profond :

– Il y a trop de gens sur la Terre...

Quand on met un enfant au monde, qui que l'on soit, on devient la personne la plus importante pour un autre être humain. Même dans des cas de mauvais traitements et même de violence, il est parfois aberrant de voir que les parents revêtent toujours cette importance aux yeux de leurs enfants... Ce petit bébé, qui ne nous a pas choisis et qui jaillit de nos entrailles, il s'accroche à nous avant même de faire notre connaissance et il nous supplie de rester en vie, de rester là, avec lui. Rien d'autre ne peut nous valoriser autant ni nous procurer un tel sentiment d'unicité. Notre vie prend alors tout son sens, parce qu'elle devient essentielle à quelqu'un.

Quand on met un enfant au monde et qu'on s'attelle à l'élever, même les tâches les plus ingrates ont quelque chose de splendide et de renversant. Lorsqu'un de nos enfants s'entête à «faire le bacon» et nous confronte à répétition, on se demande parfois pourquoi on s'acharne à lui dire non. Donnons-lui la Lune sur un plateau d'argent, qu'il cesse de hurler! Laissons-le agir à sa guise et prenons un peu de repos! Mais une petite voix intérieure nous interdit de lâcher prise. Et dans quelques années, lorsque notre enfant se montrera obéissant envers son professeur, poli avec des inconnus, respectueux avec ses parents et reconnaissant pour ce qu'il a, la grande beauté de tout ce processus nous sautera aux yeux!

Nous aurons construit quelque chose. Nous aurons bâti un être humain.

# Bref…

À trente ans, ma vie n'est plus celle qu'elle était il y a dix ans, simple, rose et légère. Elle est plus complexe parce que d'autres vies s'y sont greffées. Même si je n'ai encore vécu aucun grand malheur, je commence à côtoyer la mort, à voir partir des gens près de moi. Toutes nos rencontres, nos expériences, nous façonnent et nous changent. Le parfum de la vie de chaque être cher parvient jusqu'à nous et nous imprègne.

Je n'ai pas de grandes histoires à raconter, mais des petites, j'en ai des tonnes! Les miennes et celles de ces âmes qui ont frôlé la mienne. Les âmes de mes enfants, accrochées à moi et à travers lesquelles je revis, émerveillée, les étapes qui m'ont menée à mes trente ans. Les âmes des amis qui vont et viennent dans ma vie, qui me touchent, me percutent, me soutiennent et m'ébranlent. L'âme de mon frère et de ma sœur, si semblables à la mienne, chargées des mêmes souvenirs. L'âme de mes parents, qui m'ont vue naître et grandir, qui se sont inquiétés pour moi et qui vivront pour toujours à travers moi. Mon âme sœur, celle de mon Adonis, fusionnée à la mienne, si proche de moi qu'elle en est indissociable.

J'ai besoin de tous ces gens. Ils sont ma vie. Ils sont mon histoire.

# Tranche de reconnaissance

Merci à la bibliothèque Romain-Langlois, qui m'a offert ce délicieux silence nécessaire à l'écriture.

Merci à mon Adonis, mon amour de jeunesse, ma cabine de décompression, qui s'est occupé de tout pendant que je savourais ces précieux instants à la bibliothèque.

Merci à Marie, à Étienne, à Annie et à Geneviève, qui ont eu la patience de lire mes textes et m'ont fait croire que tout cela était possible.

Merci à Valérie (mammouth3.com) de m'avoir donné des ailes sur Wordpress.

Merci à Blanciel pour le logo de mon site Web qui me suit maintenant partout (la petite fille frisée).

Merci à mes parents et à ma famille, qui ont accepté de voir leur petite vie étalée au grand jour par leur excentrique héritière!

Merci à mes inestimables enfants qui, chacun à leur manière, sont omniprésents dans mes tranches de vie. Merci, Mia, d'avoir partagé mon rêve. Merci, Alek, de m'avoir tellement inspirée. Merci, Jonas, d'avoir interrompu mes heures de corrections avec ton beau sourire.

Ah! Et un bonjour tout spécial à mon ami Martin Lafrance. (Il tenait à ce que son nom figure quelque part...) Hi! Hi!

Pour ceux qui auraient souhaité quelques chapitres supplémentaires, retrouvez-moi sur mon blogue !

Site Web :

**joyeusescatastrophes.com**

Page Facebook :

**facebook.com/joyeusescatastrophes**

Au plaisir !

Achevé d’imprimer au Canada
sur les presses de Imprimerie Lebonfon Inc.